ASALTO A LA MENTE

Las estrategias satánicas en el tiempo del fin

DANIEL SCARONE

Pacific Press® Publishing Association
Nampa, Idaho
Oshawa, Ontario, Canadá

Redacción: Ricardo Bentancur
Diseño de la portada: Eucaris Galicia
Diseño del interior: Steve Lanto

A no ser que se indique de otra manera, todas la citas de las Sagradas Escrituras están tomadas de la versión Reina-Valera revisión de 1960. Unless indicated, Bible quotes are from the New King James edition.

P. O. Box 5353, Nampa, Idaho 83653,
EE. UU. de N. A.

Primera edición: 2006

ISBN 0-8163-9360-5
Printed in the United States of America

06 07 • 02 01

Contenido

Introducción

Cuando el 26 de septiembre de 1960 se realizó el primer debate público de la historia ante las cámaras de televisión entre dos candidatos a la presidencia de los Estados Unidos, nadie sospechaba que en esa tarde se inauguraba una nueva era para las comunicaciones. Ocurrió que el rostro de John F. Kennedy, lozano y fresco, contrastaba con el rostro sin afeitar y cansado de Richard Nixon. En esa tarde, un gesto decidió el destino de los Estados Unidos: la opinión pública se volcó en confiar más en lo que decían los rostros de sus candidatos que en lo que decían sus palabras; más en la apariencia que en las ideas; más en la imagen que en el verbo. Entonces el mundo supo qué poder tiene una imagen. Y confirmó el sabio y antiguo dicho de que "una imagen habla más que mil palabras".

Tiempo después se supo que mientras para los televidentes el ganador fue Kennedy, para los radioescuchas el triunfador fue Nixon. La televisión había definido la elección. Desde entonces, los expertos en comunicación supieron cuál sería la función de los medios en la sociedad, y cuán poderoso era el mensaje que habían aprendido aquella tarde. Aquel 26 de septiembre de 1960 descubrieron que la política estaba más cerca del arte que de la ciencia.

Hoy, los medios de comunicación han perfeccionado la técnica para mostrar una realidad y aun transformarla por medio de la imagen. La televisión crea realidad a partir de la imagen. Los noticieros forman y deforman la opinión pública, mostrando ciertos tipos de escenas, con efectos visuales y sonoros bien estudiados, cuando quieren producir un resultado particular en la mente del televidente. Es interesante observar cómo algunas noticias son acompañadas con una música de fondo para generar un determinado marco emocional. Así se desestabilizan gobiernos, se inician guerras y se venden productos comerciales e ideologías. Más aún, es tan seductor el poder de la imagen, que la gente corre presurosa a contar sus secretos más íntimos en los programas de televisión que le dan la oportunidad de "aparecer ante el mundo".

Los expertos en medios masivos de comunicación social sostienen que todo lo que cruza la frontera de nuestra mente (mediante la radio, la televisión, las películas, la publicidad, Internet, etc.) puede transformar los pensamientos y la conducta. Los pensamientos y los actos que creemos que son nuestros, en realidad son una respuesta a la información programada y destinada a alcanzar nuestra mente.

Naturalmente, todo esto suscita preguntas. ¿Habrá peligro de ser objetos de esta manipulación? ¿Corren algún riesgo real los miembros de nuestras familias? ¿En qué creer? ¿En quién creer? ¿Cómo proteger a mi familia de la seducción de los mensajes que diariamente nos atacan?

Creo que no exagero al decir que nuestras vidas corren peligro: Corre peligro nuestra salud mental, corren peligro nuestros valores éticos y morales, corre peligro nuestra fe y nuestra esperanza.

Resulta imposible evitar que el mundo y sus costumbres se acerquen e influyan en nosotros, pues vivimos en sociedad y necesitamos estar en contacto con los demás y con todo lo que pasa a nuestro alrededor. No podemos vivir en una cueva. Por eso, apreciado lector, si usted lee el índice de este libro observará que dedicamos buena parte de su contenido a desvelar los peligros a los que nuestra mente está sometida diariamente y a cómo defendernos en medio de esta situación.

Se dice que la gran muralla China es una de las maravillas del mundo, con más de dos mil kilómetros de extensión. Se construyó para proteger a China de posibles invasores. Sin embargo, aunque era una defensa formidable, sucumbió en tres oportunidades; lo curioso es que en ninguna ocasión cayó ante un asalto directo, sino sólo porque sus guardias se descuidaron.

En el plano práctico, nosotros también hemos de preocuparnos por guardar nuestras defensas interiores ante el asalto de ideas peligrosas que intentan moldear y conquistar nuestra mente. Finalmente, con este libro deseamos demostrar que la verdad no proviene de la cultura, sino de Dios y de su Palabra. En este sentido, nuestra perspectiva es profundamente optimista, porque, basados en la Biblia, creemos que aun bajo ataque, la mente puede preservarse sana y la fe puede fortalecerse.

Mientras que en nuestra sociedad se esgrime el derecho a la libertad para "lavar el cerebro" de las personas, la Palabra de Dios nos dice cómo alcanzar la verdadera libertad: "Y conoceréis la verdad, y la verdad os hará libres"

(Juan 8:31, 32). La verdad de la Biblia es una luz segura en medio de las tinieblas.

Una última palabra: Cada capítulo tiene preguntas para reflexionar y citas bíblicas para responder dichas preguntas, con lo cual usted puede convertir este librito en un manual para la discusión y el diálogo en familia o en grupo de amigos. Nuestro deseo es que con su lectura, usted y sus seres queridos encuentren ideas para defenderse de las estrategias del Mal en esta hora crítica y final de la historia de la humanidad.

Daniel Scarone
16 de octubre, 2006

Capítulo 1

Entendiendo los tiempos

A medida que usted lee estas palabras, su cerebro está filtrando e integrando su significado de una manera muy suya. Pero la forma en que usted y yo pensamos, y las ideas que nos ayudan a interpretar el mundo en que vivimos, en gran medida no son originalmente nuestras. Nuestro conocimiento e incluso nuestras opiniones se basan en la expresión del pensamiento humano que ha venido cambiando y transformándose a lo largo de muchos siglos. Lo que nos enseñaron directamente nuestros padres, lo que estudiamos en las escuelas, lo que llega a nuestra mente a través de la lectura, la televisión y las conversaciones cotidianas, todo se va agregando a nuestra base ideológica.

Lo que usted es, lo que piensa sobre la política, sobre la ciencia y la medicina, sobre el matrimonio, sobre la crianza de los hijos, sobre la existencia y la persona de Dios, todo determina la manera en que usted se relaciona con las personas y el mundo que lo rodea. Nuestras ideas también pueden determinar nuestro futuro y nuestra felicidad.

El poder de las ideas

El poder majestuoso de las ideas, su importancia y valor se manifiestan a lo largo de toda la historia de la humanidad. Podemos poner muchos ejemplos. Comencemos con el Renacimiento. Este período de la historia es un ejemplo patente del poder de las ideas. El Renacimiento es el período de la historia que, originado en Italia, alteraría a toda la civilización occidental, produciendo cambios en el campo de la ciencia, del arte, de la filosofía y de la religión. Fue un tiempo cuando se trastocaron todas las fronteras: primeramente filosóficas y científicas, y luego culturales y aun geográficas. Fue el origen de una transformación radical en la cosmovisión del hombre medieval, la puerta de entrada a la modernidad. Esta transformación se caracterizó por un *renacer* de la cultura. El nacimiento de la imprenta agilizó la difusión de ideas que, al entrelazarse con la revolución educativa, impulsarían un nuevo pensamiento y nuevos descubrimientos; también el abandono de conceptos científicos erróneos.

Otro momento ilustrativo de la fuerza y poder de las ideas fue la Revolución Francesa, ese proceso político y social que se desarrolló en Francia entre 1789 y 1800; y cuya consecuencia determinó que el pueblo se convirtiera en la fuerza política dominante, desplazando al absolutismo monárquico.

La influencia de las ideas pedagógicas de los enciclopedistas franceses afectaría a las nacientes naciones de las tres Américas. El ideario ético y político de muchos patriotas americanos, como Artigas, Bolívar, Franklin, Jefferson, O Higgins, San Martín, Washington, etc., se alimentó de las ideas europeas. Las reformas educacionales de diversos países tomaron el mismo modelo europeo.

El poder de las ideas también se reflejó en la Reforma

Protestante, cuando en el siglo XVI varios países de Europa rechazaron la autoridad del pontífice romano y abrazaron los conceptos de *Sola Scriptura, Sola Fide* y *Sola Gratia* (Sólo la Biblia, Sólo la fe y Sólo la gracia), como elementos sustanciales de la fe cristiana. De este modo se abandonaba una buena parte de las creencias paganas que han nutrido el catolicismo, y que se extendió por medio de la tradición de una generación a otra hasta nuestros días.

Es notable ver cómo los conceptos de Lutero, Calvino, Melanchton, Zwinglio, Huss, Wicleff y otros se extendieron de país en país, de cultura en cultura, de un idioma a otro, afectando la ideología de varias generaciones. De hecho, el proceso de la Reforma Protestante no fue completo, pues recién en el siglo XIX se completó el regreso a una forma de fe en conformidad con la del cristianismo primitivo, a través del movimiento adventista.

En resumen podemos decir que las ideas son el motor de la historia de la humanidad, para bien o para mal.

A causa de que el hombre es por naturaleza un ser social, las ideas desempeñan un papel preponderante en su comportamiento tanto individual como colectivo. Por lo tanto, merece ser analizado el proceso que gesta la influencia de las ideas en la mente y, consecuentemente, en el comportamiento social, ético y religioso del ser humano.

Información y conocimiento

Diariamente procesamos mucha información que llega hasta nosotros. Mientras redactaba un esbozo de este capítulo, una agencia noticiosa de Buenos Aires informaba que un meteorólogo, Renae Baker, desde la base australiana situada en la Antártica, tomó una serie de imágenes espectaculares de una formación singular de nubes polares. Baker afirmó que dicho fenómeno cromático indicaría "condiciones extremas en la atmósfera, promoviendo cambios químicos que conducen a la destrucción del ozono estratosférico vital". No conozco los detalles, pero esto indica que hay emisiones que generamos que destruyen nuestro hábitat, el mundo en que vivimos.

Un periódico de Chile informaba que el líder cubano, Fidel Castro, era sometido a una cirugía intestinal, y las agencias noticiosas del mundo debatían hipótesis sobre el futuro de la isla. Desde Bogotá se manifestaba preocupación por el conflicto en Medio Oriente entre Israel y el movimiento Hezbolá. Desde París, *Le Figaró* indicaba que el alto representante de la Unión Europea, Javier Solana, solicitaba formalmente el cese de las hostilidades en el Líbano. En Estados Unidos, la revista *Newsweek* se preguntaba si acaso esto no sería el fin del mundo, por lo cual, decidieron entrevistar al pastor protestante Tim LaHaye, autor de la serie *Left Behind* (Dejado atrás), quien respondía que el cúmulo de hechos amenazadores de la paz rebasaba todo límite histórico conocido.

Así son las noticias que recibimos a diario, y que arman el ambiente por donde pasa nuestra vida. A veces no distinguimos con precisión el sentido de los vocablos que manejamos. Vivimos en contacto con las agencias noticiosas, las cuales nos brindan información, aunque esto no implica necesariamente conocimiento ni sabiduría.

Sin embargo, si tomamos dichas informaciones y las comparamos con el conocimiento que nos proporciona la Biblia, fácilmente deduciremos los indicios de descomposición social anticipados por la profecía bíblica. Hoy necesitamos ser entendidos en los tiempos (ver 1 Crónicas 12:32), lo que implica procesar información, desarrollar conocimiento, y analizarlo en el marco de la historia y de la Biblia.

El mundo nuestro de cada día

Una buena parte de los habitantes de nuestro planeta despiertan cada mañana con los sonidos de la música moderna, y escuchan distraídamente los sutiles mensajes publicitarios que emiten las radioemisoras. Encienden el televisor, y a través de las palabras de famosos comentaristas se informan de las últimas novedades, sin percatarse del hecho de que todo ese cúmulo de información fue previamente clasificada antes de su emisión.

A lo largo de cada jornada, la televisión ejercerá su influencia en los televidentes en un promedio de cinco a seis horas. Otras tantas personas serán influidas por las emisoras de radio, en sus hogares, en sus automóviles y en los autobuses en que viajan a sus trabajos.

Este contacto con los medios de comunicación se extenderá de diez a doce horas durante el día, y cada persona recibirá en su mente los enfoques y opiniones de diversos periodistas, comentaristas y analistas de la actualidad. De este modo, todos estamos bajo la influencia ideológica de esos comunicadores, y vemos el mundo a través de los ojos de ellos, y adoptamos los criterios y opiniones que ellos sugieren, sean buenos o malos, sin analizar quiénes son los que están detrás de estos voceros, y cuál es la ideología de las empresas que los alimentan.

Una importante proporción de personas dedicará más tiempo a escuchar sus programas preferidos que a comunicarse con sus cónyuges, con sus hijos o con el resto de la familia.

Otros leerán el periódico sin preguntarse por qué el ejemplar de cada día tiene la misma cantidad de páginas aunque no tengan la misma cantidad de noticias. La razón es que existe un convenio establecido que no tiene en cuenta si son muchas o pocas las noticias de importancia que valga la pena difundir. Es necesario llenar el espacio disponible.

Algunos transeúntes se detendrán en una estación del subterráneo y contemplarán las imágenes de los distintos carteles publicitarios, que les recomendarán distintos productos. Todos prometen comodidad, bienestar, dicha, felicidad y placer. Pero hay una sola condición: unirse al selecto mundo de esos seres escogidos, dichosos, que consumen el producto publicitado.

Todo el día nos movemos entre carteleras publicitarias cuyos personajes nos miran, sonríen, sugieren, proponen, prometen y despiertan en nosotros el deseo de vivir integrados a un sistema de consumo que modela nuestros objetivos y deseos.

Es evidente que todo esto ha llegado a ser muy familiar para nosotros. Esta familiaridad posiblemente nos impide ver los variados elementos que interactúan en todos estos "mensajes" que llegan hasta nuestra mente con sus diferentes disfraces.

Sin nuestro consentimiento, y en muchos casos sin nuestro conocimiento, se ha llegado a asediar, a invadir, nuestra privacidad y nuestra forma de pensar. Muchos pensamientos y actos que consideramos espontáneos son sólo una respuesta —orientada y esperada— a la información programada y acumulada en nuestro subconsciente, sin que seamos plenamente conscientes del proceso al que nos hemos integrado y de sus consecuencias.

Muchos científicos e investigadores de los medios de comunicación saben que esta condición puede lograrse a escala masiva. Algunos de ellos han advertido que las libertades del hombre pueden ser sutilmente alteradas o trastocadas si se asalta subrepticiamente sus sentidos o si se asedia su mente en forma sistemática. Ese asalto a la mente es muy peligroso. La frecuencia de esta invasión sutil inserta conceptos de vida en nuestra mente. Y lo más grave es que este ataque ha llegado a ser algo permitido.

Hay investigaciones que demuestran que nuestra mente y voluntad pueden ser manipuladas y puestas al servicio de intereses comerciales. Estas empresas de publicidad tienen una poderosa base financiera, y su función principal es atrapar la atención y mantener el interés de grandes auditorios, para publicitar sus productos y hacer que la población los consuma. La publicidad nos invita a consumir; y nos consumimos, consumiendo.

El auditorio al que se dirige la publicidad es muy grande y diverso, por esta razón, par que el mensaje sea efectivo, debe personalizarse. Dicho auditorio es anónimo, cada uno de los televidentes o radioyentes, lectores de periódicos, etc., se conectan con una fuente de información, pero nadie sabe quiénes son las otras personas que reciben el mismo mensaje. El auditorio es heterogéneo, está conformado por un variado tipo de personas: ricos y pobres, ancianos y jóvenes, educados e incultos. Pueden vivir en ciudades o granjas. Pero algo los une: viven conectados a un puñado de medios de comunicación que los invitan a consumir los mismos productos, a vivir del mismo modo, y a creer lo mismo.

Así, el hombre moderno es, con todo su avance, seducido por la cultura: usará el jabón de "las estrellas de Hollywood", leerá revistas de historietas (*comiquitas* o tiras cómicas), empleará el perfume de un gran deportista, conducirá un automóvil como el de un famoso hombre de negocios, comprará el refrigerador y el televisor de "los buenos inversores". Y en todos y en cada uno de estos actos irá haciendo una entrega periódica de su confianza, de su voluntad, de su libertad. Pronto dejará de pensar en forma individual para pensar y actuar como lo hacen todos los demás.

El control de la mente humana ha sido el tema de muchos libros de ciencia ficción. Sería imposible negar que para muchas personas la posibilidad de controlar la mente haya sido sólo una ficción. Sin embargo, las evidencias que reunimos en esta obra indican que el medio hace mucho más que influir en el hombre. Manipula y condiciona. Somos testigos de un virtual asalto a la mente y de un asedio permanente que exige la entrega de la voluntad.

Muchos elementos pugnan por obtener un lugar en nuestra mente; algunos son: la publicidad y los mensajes de los medios de comunicación, los videojuegos, los productos de Hollywood, Internet, los movimientos religiosos, la industria de la pornografía, la astrología, el ocultismo, etc.. Muchos han llegado a falsificar el evangelio para entregarnos conceptos religiosos distorsionados y una visión equivocada de la vida, de la muerte y del más allá. Otros han orientado la atención humana al mundo extraterrestre, desarrollando confianza en la intervención cósmica para solucionar los problemas del mundo.

En medio de esta realidad transcurre nuestra vida, y nos preguntamos: ¿qué podemos hacer ante este avasallamiento que penetra los rincones de nuestra cultura y de nuestro espíritu?

Aquí estamos usted, un servidor, sus hijos y los míos, en medio de esta vorágine de influencias, preguntándonos qué hacer ante estos elementos, muchos negativos, que nos asedian. ¿Por dónde comenzaremos? ¿Qué pasos daremos? Si el síntoma o diagnóstico que se revela es de mucha gravedad, ¿cómo protegernos?

Este libro pretende dar un paso en este caos. Intenta encender una luz de advertencia, para que tengamos una idea de la cultura en la que nos movemos y de los intereses que se manifiestan en su interior. También intenta orientar la reflexión hacia la respuesta que nos ofrece la Palabra de Dios, para que podamos encontrar paz en esta hora de angustia e incertidumbre.

Es determinante entender que nuestra mente es el acceso a nuestro corazón, de donde "mana la vida" (Proverbios 4:23). Por lo tanto, es clave para nuestra salvación que vigilemos las avenidas del alma.

Para reflexionar

1. ¿Qué implica ser "entendidos en los tiempos" de acuerdo a lo que dice la Biblia en 1 Crónicas 12:32?

2. ¿Qué opina San Pablo de la importancia de las Escrituras? (2 Timoteo 3:15-17).

3. En esta sección se plantea el "poder" o la "fuerza" de las ideas. ¿En qué otros aspectos, además de los señalados, consideramos que las ideas manifiestan su influencia? Discuta el concepto a la luz de lo que dice Jesús en San Juan 8:31-32.

4. ¿Qué es "amar este mundo"? Pablo presenta el caso de Demas en 2 Timoteo 4:10.

Capítulo 2

Mitos peligrosos

Transitamos una época a la que podemos catalogar como la cultura del tiempo del fin. Vivimos en una sociedad con permanentes conflictos, de tipo étnico, político, económico y social. Hay grandes desafíos que se plantean para la mente humana. Al fin y al cabo es allí donde se dirimen las mayores controversias. Y es en esta realidad contemporánea que cobra dimensión especial la recomendación de San Pablo al joven Timoteo: "Te encarezco delante de Dios y del Señor Jesucristo, que juzgará a los vivos y a los muertos en su manifestación y en su reino, que prediques la palabra; que instes a tiempo y fuera de tiempo; redarguye, reprende, exhorta con toda paciencia y doctrina. Porque vendrá tiempo cuando no sufrirán la sana doctrina, sino que teniendo comezón de oír, se amontonarán maestros conforme a sus propias concupiscencias, y apartarán de la verdad el oído y se volverán a las fábulas" (2 Timoteo 4:1-4).

Es interesante notar que el vocablo que San Pablo emplea aquí, y que se traduce como fábulas, es *mytos* (del que proviene "mito" y sus derivados). En esta serie de consejos que el llamado "apóstol a los gentiles" le brinda al joven discípulo Timoteo, plantea una futura lucha que se librará en el campo de las ideas entre la *verdad* y las *fábulas*. La *verdad* es el mensaje de salvación cristiano, en tanto que las *fábulas* representan todo lo que se opone a la verdad de Dios. Estas fábulas atraparían la reflexión, el tiempo individual y la atención de los hombres de ese período histórico.

El "tiempo" del que habla Pablo sería un tiempo futuro a la época apostólica. Quizá nuestro propio tiempo. No podemos negar que hoy vivimos en una cultura invadida por diversas mitologías, ficciones creadas por los hombres, que invaden tanto el mundo religioso como la industria del entretenimiento (programas de TV, cine, videojuegos, etc.).

Características de los mitos

Cuando se analiza el fenómeno mitológico, se detectan ciertos elementos comunes. Los mitos describen creencias y costumbres de ciertas sociedades. Explican fenómenos naturales. Describen factores psicológicos como el amor, el sexo y las relaciones humanas. Para Karl Jung, los mitos contienen arquetipos que revelan el subconsciente colectivo de las culturas. Y han sido un medio por el cual los pueblos ventilaban sus miedos y sus esperanzas.

Algunos mitos presentan historias de la creación, describen el origen del mundo, de la humanidad, hablan acerca de la vida después de la vida, se refieren a seres sobrenaturales, semidioses que en ocasiones interactúan en el mundo real.

Un elemento común en los mitos, especialmente los griegos, es la incorporación de seres sobrenaturales que ejercen poderes sobre el mundo, los pueblos y las naciones. Estos son dioses o diosas que ejercen su poder en ciertas regiones como el cielo, el aire, la tierra, el mar, el sol, la luna y las estrellas. Hay divinidades que manifiestan su poder sobre las cosechas y las estaciones, sobre la vida y la muerte. Las hay buenas y malas.

El escenario mitológico está también poblado por héroes legendarios. Algunos de estos héroes son completamente humanos, otros enteramente divinos; y se encuentran también los semidioses que viven e interactúan en el mundo cotidiano de los humanos. Algunos de estos héroes mitológicos han llegado a ofrecer sus dones con el fin de beneficiar a la humanidad; como el caso de Prometeo, quien ofreció el fuego como don.

Prácticamente cada aspecto de la vida y del universo de los griegos estaba gobernado por un dios: *Cronos* era la divinidad del tiempo, *Demetrio* era el dios de las cosechas, *Poseidón* era el dios del mar, *Zeus* era la suprema divinidad del Olimpo, etc. En la visión de varias mitologías, incluso los impulsos, las emociones y los sentimientos humanos eran movidos por diversas divinidades.

Lo interesante de estas divinidades del panteón griego que gobernaban el mundo desde el Olimpo, era que al asumir formas humanas adoptaban los vicios, las desviaciones de conducta y la degradación moral que reinaba entre los hombres. No faltaban las divinidades que manifestaran sentimientos hacia los humanos, como los que se evidencian entre Venus (Afrodita) hacia Eneas en *La Ilíada*. Y existían mitos que describían relaciones divino–

humanas, de las que nacían seres divino-humanos. También se creía que los dioses protegían a los hombres, revelando así una lucha en el plano humano que no era otra cosa que un reflejo de la controversia que se planteaba entre los dioses del Olimpo. Esto hacía que la vida y la muerte, y las circunstancias y los accidentes que rodeaban la existencia terrenal en esa época de la historia, eran concebidos como designios de la voluntad de los dioses.

Había divinidades para cada actividad: dioses para el comercio, dioses que gobernaban el mundo de los muertos, dioses de la guerra, diosas para el amor y la reproducción, dioses para los atletas, dioses y diosas para la fertilidad y la prosperidad, dioses para el vino y las bacanales, para la música y las artes, para la inteligencia y el razonamiento, para los ricos y los pobres, y no faltaban las divinidades que hasta protegían a los ladrones. Es decir, prácticamente cada actividad o disciplina humana (buena o mala) era auspiciada por alguna divinidad.

En otro plano estaban los héroes, personajes legendarios cuyos caracteres y bondades fueros exaltados en obras como *La Ilíada* y *La Odisea*. Algunos de estos héroes, especialmente en el mundo griego, llegaron a ser glorificados y convertidos en divinidades. Fueron inmortalizados por la fama y las leyendas populares al grado de que sus nombres pasaron a ser nombres de estrellas o planetas, como Heraclion, Perseo y Orión (que suman sus nombres a otros del panteón griego que ya conocemos como Júpiter, Marte, Venus, etc.). Hubo muchísimos héroes en la mitología griega que, como si fueran santos, llegaron a tener sus criptas o templos (*heroom*), o sus propios altares (*bomos*), y se los recordaba con sacrificios que se elevaban a sus nombres, implorándoseles que concedieran sus favores a sus adoradores.

Alan F. Segal, en su bien documentada obra, dice que "tanto en el mundo helenístico como en el romano, los gobernantes comenzaron a identificarse con las divinidades, diciendo que sus vidas habrían de imitar a aquellos héroes que adquirieron trascendencia e importancia".[1] Esta observación de la historia revela cómo la mente humana puede ser seducida y atrapada por el mito.

Es interesante observar que hay un punto en el que la mitología abandona el campo del mito y de la fábula para incorporarse al plano religioso, y así formar parte de la devoción popular. No es extraño que el catolicismo medieval haya desarrollado una colectividad de santos estructurada bajo las semejanzas del antiguo panteón grecoromano, apelando así a la adhesión que otrora disfrutaban las divinidades paganas. Estas divinidades fueron incorporadas al catolicismo con nuevos nombres, aunque manteniendo sus antiguas propiedades benefactoras, atrayendo así la "devoción popular".[2] De este modo, bajo el patrocinio de una entidad religiosa de proyección universal, que alza en la historia la bandera de la fe cristiana, aquellas divinidades siguen viviendo en el inconsciente colectivo.

Un ejemplo de esto es la influencia que los santos ejercen en la vida de los creyentes católicos. A los santos se les ruega, se les pide dones, se les ofrece sacrificios, mientras ellos interceden por los pecadores. No hay nada en las Sagradas Escrituras que sugiera la intercesión de los santos. Nada que dé a entender que hay alguna actividad de seres divino-humanos en favor de la vida de los hombres en este planeta. Respecto de esto, la Biblia es contundente: "Porque los que viven saben que han de morir; pero los muertos nada saben, ni tienen mas paga, porque su memoria es puesta en olvido" (Eclesiastés 9:5). Por lo tanto, los santos de la iglesia descansan como cualquier mortal, esperando el día de la resurrección (1 Corintios 15:50-52).

Pues bien, si esta idea de la actividad de los santos entre los humanos no proviene de las Sagradas Escrituras, sólo podemos decir que proviene de los antiguos mitos grecorromanos que influyeron en la cultura que dio origen a nuestra civilización cristiana.

Frente a los mitos contemporáneos

Los mitos sobrevivieron en la historia a través de la tradición oral y de la literatura. Puesto que los mitos son relatos, inicialmente se transmitieron de una generación a otra por tradición oral. Este proceso hizo que algunos mitos evolucionaran con el tiempo y llegaran a existir en diferentes versiones. Y también hay que mencionar que cuando algunos mitos se incorporan al folklore de un pueblo, se incorporan también al arte, y así quedan plasmados en obras que luego son rescatadas por la labor de la arqueología. En el caso de algunas de las obras de Homero, el famoso poeta griego, los mitos se transmitieron a través de la poesía y el canto. El mismo William Shakespeare utilizó en sus obras algunas ideas provenientes de los mitos griegos (*Sueño de una noche de verano*), arrojando así antiguos mitos dentro de otra cultura e idioma. Mitos que fueron recreados, retransmitidos e inmortalizados por el arte literario.

Actualmente, los personajes míticos del pasado parecen anclados en la historia, pero tienden a reencarnarse en la ficción moderna de las películas de Hollywood y de la industria del entretenimiento. Vivimos en una sociedad masivamente influida por los medios de comunicación, que a su vez responden a las orientaciones de sus respectivos cuerpos de accionistas, cuyas ideologías, fuera de una marcada orientación financiera, generalmente desconocemos.

Podemos afirmar que hay agencias modernas que intentan controlar y seducir nuestra mente. ¿Quién manda en nuestra mente? ¿Quién o quiénes controlan nuestra imaginación? Durante casi medio siglo se vino desarrollando una industria que asocia elementos propios de la psicología y de la conducta humana. Me refiero a la industria de la publicidad, disciplina asociada a la comercialización e imposición de imágenes en la sociedad. Consumimos constantemente imágenes y compramos los productos publicitados, sean buenos o malos. El "consejo publicitario", o aviso comercial, gobierna la industria de la comunicación. Y la conexión de los medios masivos de comunicación con la publicidad es vital en la transmisión de las ideologías.

La columna vertebral de todo este fenómeno de comunicación de valores en la sociedad es el matrimonio de la publicidad con los medios masivos de comunicación social: Internet, la industria del cable o disco satelital, los periódicos, las emisoras de radio y de televisión, etc. Estos medios masivos están completamente embebidos en el consumo y el comercio, por lo que habrán de explotar al máximo cada "oportunidad de exposición" que se les presente.[3]

Buscando lo sensacional, los medios de comunicación producen efectos degradantes en la mente humana, inundándola de banalidades y vulgaridades que se extienden por la cantidad de horas que un televidente permanezca frente a la pantalla. Los medios masivos distorsionan nuestra percepción del mundo, proporcionando un efecto ilusorio que nos distrae de la realidad y desvía la atención de los verdaderos problemas que debemos afrontar.

Hace casi 20 años, la pregunta de Neil Postman acerca de si la televisión modela o refleja nuestra cultura, despertaba la atención y el interés de muchos eruditos y críticos de la ciencia de la comunicación social. Esa pregunta ya ha desparecido, pues gradualmente "la televisión ha llegado a ser nuestra cultura".[4]

Sumner Redstone dijo: "Sin contenido, todos los canales de cable, las cadenas de televisión, las cadenas de video y todas las otras cadenas de esta industria no tendrían sentido alguno. Ese contenido son las películas". Y esas películas son el producto de la imaginación de individuos que pueden tener intereses y ambiciones diferentes de los de los imperios corporativos a los que sirven. Pero tienen una causa común: la creación de una ilusión que apelará a una audiencia.[5]

Los mitos contemporáneos pululan en la pantalla de la televisión. La "alfabetización ideológica" de la televisión se basa fundamentalmente en mitos antiguos, estructurados en una serie de productos culturales de consumo, que se ofrecen ahora con nombres modernos: *Superman, Batman, El Hombre araña, Electra, CatWoman*, etc. De este modo, retomando las concepciones míticas del pasado y sumándole elementos venidos de la ciencia y de la tecnología modernas, estos personajes de las películas resucitan en la mente del hombre de hoy todo el poder inmortal y la indestructibilidad de los dioses paganos del pasado.

La credibilidad del mito

A lo largo de la historia la cultura fue el teatro de una confrontación abierta o sutil entre la religión y las mitologías. El mensaje de la Biblia rescata al hombre de las falsas creencias, de los mitos y de las fantasías en las que vive. Pero, en la actualidad, la industria del entretenimiento (TV, cine, videojuegos, revistas, Internet, etc.) ha llegado a ser un reproductor de ficciones y mitos contemporáneos. Hay incluso cristianos que influidos por esta cultura mezclan la ficción con la fe religiosa.

Es posible que uno de los mitos contemporáneos sea la ficción de la libertad. Por el hecho de vivir en una sociedad democrática occidental creemos que disfrutamos de completa libertad; sin embargo, es un hecho que la cultura nos empuja a ser de un determinado modo, condicionando nuestra libertad. Esta cultura nos dice cómo debemos vestirnos, qué debemos comer, cuál es el mejor estilo de vida, todo para ser aceptado socialmente. Así, pronto somos esclavos de un consumismo que nos viene de una publicidad que ha influido en nuestro pensamiento del modo más sutil.

Hay un texto de las Sagradas Escrituras que ayuda a nuestra reflexión: "Y conoceréis la verdad, y la verdad os hará libres" (Juan 8: 31, 32). La verdad no proviene de la cultura ni de la sociedad en la que vivimos. La verdad proviene de Dios y de su Palabra. A medida que avancemos en la lectura de este libro, iremos descubriendo cuál es la voluntad del Señor para nosotros, y cómo protegernos del ataque invasivo y violento de los medios de comunicación a nuestra mente.

Referencias bibliográficas

1. Alan F. Segal. *Life after Death: A History of the Afterlife in Western Religion* (Nueva York, Doubleday, 2004), p. 219.

2. Will Durant. *The Age of Faith* (Nueva York, Simon & Schuster, 1950), pp. 75, 745, 746. Walter Woodburn Hyde. *Paganism to Christianity in the Roman Empire* (Pennsylvania, The University of Pennsylvania Press, 1946), p. 54. Gordon J. Laing. *Survivals of Roman Religion* (Nueva York, Logmans, 1931), pp. 122, 123.

3. Leo Bogart. *Commercial Culture: The Media System and the Public Interest* (Nueva York, Oxford University Press, 1995), pp 8, 9.

4. Neil Postman. *Amusing Ourselves to Death: Public Discourse in the Age of Show Business* (Nueva York, Penguin, 1985), p. 79, citado en Sam Van Eman. *On Earth as it is in Advertising?* (Grand Rapids, Michigan, Brazos Press, 2005), p. 15.

5. Edward Jay Epstein. *The Big Picture: The New Logic of Money and Power in Hollywood* (Nueva York, The Random House Publishing Group, 2005), p. 129.

Para reflexionar

1. El apóstol Pablo advierte a Timoteo que llegaría un tiempo en que los creyentes no "sufrirían la sana doctrina", "apartarían de la verdad el oído y se volverían a las fábulas". ¿De qué modo, podría reflejarse esta actitud en nuestros días? (2 Timoteo 4:3, 4).

2. ¿La televisión modela o refleja nuestra cultura? ¿Qué quiso decir Jesús al afirmar "si tu ojo te es ocasión de caer"? (San Mateo 5:29).

3. ¿De qué forma los mitos influyeron en la mentalidad de los hijos de Dios en tiempos del Antiguo Testamento y del Nuevo Testamento? (1 Reyes 18:20, 21; Hechos 19:23-28).

Capítulo 3

La idolatría del consumo

El último tren vació la terminal subterránea. Por unos instantes, hasta la llegada del siguiente convoy, se disfrutará de una agradable soledad. Sin embargo, en esa estación vacía hay muchas personas. Todas parecen emparentadas; tienen entre ellas un aire familiar. Son como individuos clonados que se multiplican por doquier dentro de las mismas escenas. Uno sonríe con una copa de vino en la mano, otro ofrece un refresco, una dama agradable y joven muestra un electrodoméstico, mientras otro, pensativo, fuma apoyado en un vehículo utilitario en medio de una espesa vegetación. Casi ni nos damos cuenta de que si bien la estación sigue vacía, está profusamente poblada de imágenes publicitarias.

En toda propaganda se lee un mensaje que aprendimos a descodificar. Ese señor rubio, alto y de cabello ensortijado, de ropa fina, parado delante de un moderno vehículo, con un cigarrillo en la mano, dicta un mensaje que la repetición nos lleva a entender: "Si quieres disfrutar de la vida, haz una pausa... y fuma". Muchos no tendrán ese automóvil lujoso ni proyectarán una imagen masculina como el modelo publicitario, pero el mensaje intenta hacer creer que si se consume esa marca de cigarrillo, "lo demás vendrá por añadidura".

Ante el televisor, el proceso publicitario adopta otra dinámica. Un grupo de ciclistas lucha por alcanzar la primera posición. En otra escena, uno de los corredores hace un esfuerzo superior a los demás y alcanza la primera posición. En segundos aparece como vencedor de la competición. Muy feliz, da un largo sorbo a la gaseosa que patrocina el programa deportivo. Ya aprendimos a "leer" el mensaje: Luego de cualquier esfuerzo podemos volver a tomar esa mágica poción transformadora y revigorizante, que nos ofrece la "chispa" de la vida.

Pronto, aparecerán otros "consejos publicitarios", y se sucederán uno tras otro en el tiempo y en la pantalla. Así pasaremos un nuevo día entre imágenes publicitarias, productos, noticias y películas.

Este es el mundo nuestro de cada día. Así es nuestra vida en la sociedad de consumo. Estamos tan habituados a ese estilo de vida que ni siquiera percibimos la influencia que ejercen en nosotros todos estos mensajes inundados de argumentos visuales, envueltos en una banda de colores y sonidos. En ese mundo de papel y celuloide, recubierto de refranes, habitado por personas que viven ofreciéndonos objetos de consumo, transcurre nuestra existencia. Y esos duendes de la publicidad tienen un mensaje que pregonan mediante un variadísimo repertorio de sugerencias. Como si fuera un evangelio único, poderoso, singular y digno de crédito: "Compra, compra, compra". Con ese objetivo se ha empapelado nuestra visión cotidiana.

Muchos ya se han convertido a este evangelio material, que despierta nuestro deseo interior de vivir consumiendo cosas nuevas. Cosas que nos darán la felicidad. Pero, por extraño que parezca, nunca logramos alcanzar la satisfacción plena. Por el contrario, cuando se satisface una ansiedad, renace otra, y así se genera un nuevo deseo. Pronto nuestra atención se concentra en otro producto de consumo. Y tras él correrán nuevas ansias y desvelos. Por él, trabajaremos horas extras, y nos sacrificaremos y nos sumiremos en nuevas deudas. Así nos hemos transformado en consumidores. Consumimos cosas y consumimos símbolos. Vivimos y respiramos en medio de una *iconósfera*, en un mundo poblado por imágenes y mensajes que nos invitan a consumir.[1]

Esta cultura del consumo ha hecho de nosotros una especie de seres fracasados, pues apenas logramos conquistar lo que anhelábamos, desaparece de nuestro interior todo el deseo que sentíamos antes de tenerlo. Pronto nos invade una sensación de vacío y abrigamos un nuevo deseo por un nuevo producto. Poco a poco nos integramos al universo del consumismo adictivo.

De este modo el consumo "se transforma en una actividad evanescente, en la que nunca se alcanza plena satisfacción. La posesión de un objeto no cierra el ciclo, lo único que permite es que la demanda se dé tiempo para reorganizarse y volver a sugerir. Siempre estamos ávidos por la posesión de cosas, pero si ello se estructura así es porque las cosas no son lo que dicen ser, son cosas que 'están en lugar de otras cosas'".[2]

La publicidad está en todas partes y es un componente vital de nuestra existencia. Es tan importante, que en los

Estados Unidos, ya a mediados de la década de 1980 se gastaban unos 350 dólares anuales por persona en publicidad televisiva y en otros tipos de anuncios. Este mundo publicitario ficticio, superficial, llegó a ocupar tal preponderancia que John Kenneth Galbraith calculó que si los anuncios de televisión desaparecieran de repente de las pequeñas pantallas, el producto nacional bruto de un país como Estados Unidos se reduciría un cincuenta por ciento.[3]

Seguramente, nunca percibimos plenamente la influencia de este entorno publicitario en nuestra vida personal. Pero nuestros dientes lucen "sanos y blancos", porque los limpiamos con *Colgate*; en nuestra mesa siempre está *Hellmans*, porque tiene la "fuerza del sabor"; y el peinado de nuestra esposa tiene "cuerpo y duración", porque usa *L'Oreal*. Todo puede ser "excepcional" en nosotros (como en Plácido Domingo), si usamos un *Rolex*... y tomamos *Coca-cola* y nos afeitamos con *Gillette*. Y gracias a la publicidad participamos de un mundo común. Así estoy familiarizado con los productos que uso, y también con los que usted usa. Y esa familiaridad es internacional. La razón de esa universalidad es que en cada país, ciudad, pueblo o aldea vemos en las autopistas o en las paredes de los edificios la publicidad de esos mismos productos. Y aceptémoslo o no, esos productos están en nuestros hogares por fuerza de la repetición que determinó nuestra libertad de elección.

Publicidad televisiva

¿Nunca se sintió atraído a ver una película? Seguramente, la vez que lo hizo se sentó cómodamente en su sofá, dispuso alguna bebida y comenzó a paladear con deleite el momento. Pero no bien pasaron cinco o diez minutos de proyección, hubo un corte publicitario, luego siguió un segmento de la interesante producción, cuando casi enseguida hubo otro corte, y la frecuencia de interrupciones se intensificó hasta que, finalmente, enojado con todos esos productos y sus respectivos anunciantes, decidió irse a dormir. No gaste adrenalina ante una frustración tan superflua. Recuerde que todos esos anunciantes estuvieron en ese momento porque sabían que usted iba a estar allí. Y los sondeos no fallaron, finalmente usted estuvo donde la publicidad quiso que estuviera.

El sistema de financiación de la publicidad tiene una lógica muy simple: El canal emite una programación, los televidentes se interesan en la propuesta, el canal vende el espacio publicitario, las empresas compran esas fracciones de segundos y "sugieren" al televidente que consuma sus productos, el televidente compra el producto, pagando, con esa compra, una fracción del costo publicitario a la empresa vendedora y otra parte al canal emisor. De este modo, el canal recibe su dinero, y eso le permite seguir emitiendo sus programas llenos de interrupciones, que tarde o temprano el consumidor final siempre abonará.

Un aviso publicitario tiene un contenido diverso que se ajusta a los diez o quince segundos de duración. Al margen del tiempo está la frecuencia y la variedad de presentaciones de un mismo producto, todas diseñadas con el fin de captar eso que finalmente logran: el consumo y la dependencia de los consumidores… esclavos.

Generalmente, el telespectador concentra su atención en un discurso fantástico que no le permite procesar todo lo que ve. Un noticiario puede estar informando acerca de un viaje presidencial, pero en pocos segundos se cortan las noticias y se habla de un champú, de un laxante o de un automóvil último modelo que le ofrecerá la jerarquía que usted anhelaba (de hecho, ninguna publicidad reparará en si su bolsillo está en condiciones de poder adquirirlo; éste es su problema). Y ese fárrago de imágenes y discursos tienen sólo la coherencia del consumo.

La venta de símbolos

No son pocos los autores que han escrito sobre esta alucinante característica de la publicidad. En la década de 1950 se publicó por primera vez un libro que se transformó en un clásico: *The Hidden Persuaders* (traducido al español como *Las formas ocultas de la propaganda*). En esta obra, Vance Packard señala que las agencias de publicidad comenzaron a servirse de la psicología para hacer los avisos comerciales. Se trataba de tocar los resortes más secretos y efectivos en la mente del consumidor a fin de cautivar su voluntad. No se trataba de mostrar simplemente los beneficios del producto ofrecido, sino relacionarlo con sentimientos y emociones profundas de la psiquis humana.

Packard afirma que en la comercialización de todo producto se intenta vender lo siguiente: seguridad emocional, afirmación de la autoestima, satisfacción del yo, seguridad económica, objetos de amor, sentimiento de poder, sensación de arraigo, de libertad e inmortalidad. Packard ilustra claramente cada uno de estos aspectos.

Por ejemplo, es interesante el incremento de las ventas de refrigeradores luego de finalizar la Segunda Guerra Mundial, época en la que muchos hogares se vieron sacudidos por la carencia de alimentos. En medio de esa crisis, la memoria de muchos se espaciaba en los tiempos en los que se destacaba la figura materna y su amor, profundamente relacionados con la posibilidad del sustento.[4] Luego de algunas investigaciones patrocinadas por agencias de publicidad, se dedujo que el refrigerador era el símbolo que garantizaba la permanencia de la comida, y se encaró la publicidad tomando en cuenta este elemento. Y desde hace mucho tiempo es muy común que la publicidad presente a los refrigeradores abarrotados de víveres (cuando en realidad muchas veces están vacíos), mientras una dama simpática y cálida se encarga de explicar la capacidad del aparato, su funcionalidad y durabilidad, y todas las otras bondades de ese "inigualable" electrodoméstico.

Si bien lo que se vende es un refrigerador, éste tiene la virtud de relacionarse estrechamente con el sueño dorado, que lo empaqueta, lo envuelve, lo adorna y lo identifica con la abundancia y la seguridad. Eso significa que hemos comprado el producto y su símbolo.

La publicidad de los cigarrillos

Sin duda, el cigarrillo es uno de los elementos de consumo más difíciles de publicitar. ¿Cómo se puede desarrollar un discurso propagandístico positivo acerca de algo que deteriora la salud y destruye la vida? En este tipo de publicidad entra en juego el símbolo mucho más que el producto. La publicidad ofrece el producto dentro de un marco ambiental muy bien estudiado, e intenta que el consumidor comparta ese sueño que, si bien es una fantasía, es también el envoltorio mágico del producto y la razón de su existencia. El producto en sí vale mucho menos que el hechizo seductor creado por la publicidad, y sus consecuencias son mortales.

La tendencia publicitaria de los cigarrillos pone su acento en la relación social y en los bienes suntuosos, como automóviles deportivos, yates o aviones. El escenario siempre es extraordinario: viajes a distintos rincones del mundo, paseos a caballo en un paisaje encantador, vuelos en helicópteros o recorridos en lancha de motor. Posiblemente, muchos consumidores nunca tengan la oportunidad de subirse a un lujoso automóvil, de recorrer el mundo, de volar en helicóptero, ni de lanzarse raudamente por la orilla del mar en una nave veloz; por esa razón, optan por comprar esos sueños e ingresan al país del ensueño al "bajo precio" de un paquete de cigarrillos.

Obviamente, los publicistas tienen en cuenta que hay aspectos del producto que tendrán que ser ocultados, sustituidos, desplazados o disfrazados, con el sencillo objetivo de vender mejor el símbolo. Esta publicidad nunca mostrará un aviso como el siguiente: Un vaquero monta un brioso alazán. Recorre una zona desértica, muy parecida al Cañón del Colorado. Entretanto, la cámara se detiene en diferentes escenas llenas de belleza silvestre. La banda de sonido acompaña con precisión cada movimiento del actor. En instantes se crea la fantasía. El animal reduce el galope y surge un primer plano que muestra a un jinete de aire varonil que saca un cigarrillo y lo enciende lentamente, mientras el locutor anuncia: "¡Venga al país del cáncer!"

Hace algunos años se proyectó una película titulada *Dead in the West* (Muerte en el oeste). El argumento consistía en una investigación de la vida y de las condiciones en que se encontraban los vaqueros que actuaron como modelos para la publicidad de Marlboro. Según informaba la película, la mayoría de ellos murió de algún tipo de afección pulmonar vinculada al hábito de fumar. Sin embargo, uno de ellos aún vivía, montaba a caballo y realizaba las tareas propias de un vaquero, pero lo hacía asistido en forma permanente de un pequeño tanque de oxígeno. Sus expectativas de vida se habían reducido. ¡Acerca de este aspecto, la propaganda guardaba un silencio significativo!

Cierta publicidad de una marca de cigarrillos se orientó hacia el desarrollo y la realización femeninos. Las imágenes generadas hablan de un mundo de éxitos, de elegancia, de riqueza, de seguridad. Sin embargo, los estudios demostraron un aumento del cáncer en la mujer fumadora. A pesar de esto, el consumo de cigarrillos por parte de las damas cuyas edades oscilan entre los 14 y los 20 aumentó en un 40 por ciento desde 1975.[5]

¿Recuerda al investigador Pavlov y sus experimentos? Este investigador descubrió el elemento asociativo en la mente animal. Hacía sonar una campana y luego alimentaba al perro. La repetición creó un vínculo asociativo. El sonido de la campana. La comida. El sonido. La comida. Día tras día, hasta que finalmente la mente del animal se acostumbró al mensaje de la realidad cotidiana, y las glándulas salivales, sin ver la comida, comenzaban a funcionar apenas percibía el sonido de la campana.

Este experimento se calificó como "mecanismo de reflejo condicionado". Es conveniente reconocer que algo parecido ocurre con el ser humano. Actúa bajo determinadas condiciones. El mecanismo del reflejo condicionado trabaja en el momento de la compra. Ésta se transforma en un acto reflejo medido por "los estudios de comercialización", que determinan qué es lo que hacemos ante cierto producto.

El éxito de las técnicas empleadas por los publicistas para alcanzar el subconsciente ha sido notable y sorprendente. Es increíble pensar cómo en un mundo lleno de infidelidad (matrimonial, por ejemplo) hay individuos que son fieles, incondicionales servidores, leales y consagrados consumidores de ciertas marcas de cigarrillos, por supuesto, hasta que... "la muerte los separe".

La mentira en la publicidad

Los mecanismos de falsedad aplicados a la publicidad son innumerables y tienen diversos componentes: el lenguaje, la imagen, la relación del producto publicitado y el mundo real, las propiedades o cualidades del producto publicitado, y, no podemos olvidarlo, la intención o propósito que motiva a la publicidad.

Hoy sabemos que hasta una fotografía puede ser trucada. Nicéphore Niepce, el inventor de la fotografía, definía a su invento como: "Aparato mecánico para reproducir lo real".[6] Pero hoy sabemos que la imagen puede ser falseada, deformada, ampliada o limitada, es decir, manipulada y puesta al servicio de una intención. Algunos programas de computación permiten desplazar la imagen de una cabeza y ponerla en otro cuerpo.

Cuenta Durandin, en su libro sobre la mentira publicitaria, un episodio acaecido hacia fines de 1940 en un campo de concentración alemán en Austria. Cierto día las autoridades alemanas hicieron desfilar a los prisioneros ante un fotógrafo. A cada prisionero se le entregaba un pan de 500 g, un buen trozo de salchichón y una ración de margarina. Unos metros más adelante, los guardias obligaban a los prisioneros a devolver todo.[7] La imagen fotográfica mostraba un aspecto de la realidad. Pero la verdadera realidad era un cruel engaño para una foto con fines publicitarios.

La religión publicitaria

A lo largo de los tiempos, la moral judeocristiana condenó la idolatría, y también ciertas manifestaciones solapadas de idolatría, como, por ejemplo, atribuir a un objeto virtudes propias de Dios. Dios es el único que tiene derecho a la veneración y a la adoración, por lo que la idolatría también se manifiesta cuando se trata a un objeto como si fuera una fuente de virtud y bienestar. La representación de un objeto como capaz de generar simpatía, dicha, comunión universal, paz interior, plenitud, poder, seguridad y vida, sin orientar esos beneficios al Hacedor de dichos dones, es hacer del producto un talismán, un fetiche, una interferencia en la relación con Dios.

No han faltado avisos que publicitan el pan, como el pan "del día", parafraseando el Padrenuestro, o anuncian una marca de agua mineral sirviéndose de las expresiones bíblicas referentes al "agua de vida" (Apocalipsis 7:17; 22:1). En la maraña publicitaria se ha llegado a crear un género de religión. Las movedizas canciones publicitarias son como himnos que exaltan las bondades de los productos, y los textos surgen de los conocidos y pegadizos refranes comerciales que se integran a nuestro lenguaje cotidiano.

Es prudente saber guardar distancia de estos generadores de deseos que siembran la mente de fantasías e ilusiones, que nos cargan de ansiedades y nos hacen creer que para vivir bien siempre es necesario tener algo o comprar algún producto. Pero será bueno recordar que nuestra vida es tan fugaz como la neblina matinal (Santiago 4: 14). Es necesario desarrollar un criterio de la vida y del mundo desde una postura más precisa y más real.

Cierta vez una publicación desplegó en dos páginas enteras un manto, una pluma de escribir, un par de anteojos, dos sandalias y una hoja de papel. El mensaje podía tener muchas interpretaciones posibles, pero una frase orientadora al pie de la página completaba la idea: "Estas son las posesiones que dejó Mahatma Ghandi al morir".

Evidentemente, en él, la convicción propia, el sentido de misión y del deber habían roto las presiones seductoras de la cultura. Y por encima de un mundo superfluo aparecía el hombre, su esencia, su realidad y sus únicos bienes y "riquezas".

En medio de este mundo lleno de propuestas de consumo, debemos recordar con más frecuencia el antiguo y sabio mensaje de las Escrituras: "Porque la vida del hombre no consiste en la abundancia de los bienes que posee" (San Lucas 12:15).

El nuevo mundo virtual

En los últimos años se han desarrollado verdaderos "mundos" en Internet que cautivan a millones de usuarios. Uno de ellos, *The World of Warcraft*, tiene siete millones de jugadores alrededor del mundo. Estos participantes juegan un papel dentro de un mundo fantasioso de mazmorras, paladines y villanos generados por computadoras. En los Estados Unidos cada persona paga $50.00 por el programa y $15.00 dólares mensuales.

Lo que distingue a *Warcraft* de otros juegos previos es su naturaleza adictiva y la dinámica social que permite. Las personas van escalando niveles y desarrollando planes y asaltos "virtuales" con otros jugadores. Muchos se van aliando a sociedades que mantienen sus propios sitios en la Red, con sus foros específicos.

Otro elemento extraño de *Warcraft* es que sus miembros a veces borran la línea entre ambos mundos. Se han celebrado funerales de personas reales dentro del juego, al igual que bodas que suceden dentro y luego fuera del juego. El juego es tan adictivo, que en la China, donde vive la mayoría de los jugadores de *Warcraft*, una jovencita murió de cansancio después de jugar durante varios días sin parar.[8]

Otro juego popular, *Second Life* (Segunda vida), es un mundo virtual con centenares de miles de jugadores que añade un aspecto peculiar. En este juego, la persona tiene una segunda vida virtual en la cual no sólo juega un papel particular, sino que compra objetos con dinero real. Una persona puede comprar un auto por $1.50 aproximadamente y manejarlo por calles imaginarias, cambiarlo de color y de ruedas. Estas pequeñas cantidades han generado más de 200 millones de dólares a los dueños del juego.

El efecto cumulativo de millones de personas envueltas en vidas imaginarias que les toman hasta 40 horas por semana (en el caso de *Second Life*) está por verse, pero es probable que llegue a convertirse en una de las grandes epidemias de la modernidad.

Referencias bibliográficas

1. Jean Jacques Henriot. *L'enfant, l'image et les media.* (Lys, Francia, Editions S.D.T., 1982), p. 18.

2. Roberto Marafioti. *Los significantes del consumo* (Buenos Aires, Editorial Biblos, 1988), p. 5.

3. William Meyers. *Los creadores de imagen* (Buenos Aires, Sudamericana-Planeta, 1987), p. 14.

4. Vance Packard. *Las formas ocultas de la propaganda* (Buenos Aires, Editorial Sudamericana, 1987), p. 85.

5. William Meyers. Op. cit., p. 28.

6. Guy Durandin. *La mentira en la propaganda política y en la publicidad.* (Buenos Aires, Editorial Sudamericana, 1987), p. 85.

7. *Ibíd.*

8. Ver Steven Levy, "Living a Virtual Life", *Newsweek*, 18 de septiembre, 2006, pp. 48-50.

Para reflexionar

1. Reflexione en esta afirmación de Jesús: "Porque la vida del hombre no consiste en la abundancia de los bienes que posee" (San Lucas 12:15).

2. Analice estas preguntas: ¿Cuál piensa usted que es el propósito fundamental de la publicidad? ¿Puede la publicidad trastocar nuestro estilo de vida?

3. Piense e intercambie ideas: ¿En qué aspectos la publicidad se asemeja a la religión?

Capítulo 4

El seductor de multitudes

Desde hace tiempo, la televisión es objeto de estudios que analizan su influencia en la conducta humana. Sus defensores son tan apasionados como lo son sus detractores. Ajena a esta tensión, la televisión continúa proyectando imágenes. Dice difundir lo que es de interés para la sociedad, aunque solapadamente tiene la habilidad de dominarla.

Es obvio que hoy todos ven televisión. Unos en sus casas, otros en las de sus vecinos, y quizás unos pocos solo la miran de vez en cuando. Ya han nacido varias generaciones bajo la tutela televisiva.

En rápida sucesión se muestran las imágenes más dramáticamente dispares: una mujer que solicita ayuda porque no tiene casa, una linda y graciosa señorita bajo el influjo de un yogur maravilloso, un montón de cadáveres de soldados o de guerrilleros, un grupo de amigos que toman cerveza, una muerte violenta, un grupo festivo y alegre que toma una gaseosa. Y todo esto se presencia en una sucesión de imágenes, rápida, fugaz, carnavalesca.

La televisión es el moderno instrumento que, al captar la atención de multitudes, dicta las pautas culturales, los estilos de vida y publicita productos de consumo.

Jerry Mander[1] propuso la eliminación de este medio de comunicación social. Entre sus argumentos sostiene que la televisión acelera el confinamiento, mostrando un mundo que no experimentamos directamente. Nos da una imagen de ese mundo, pero no es otra cosa que un filtro que nos impide la experiencia completa.

Es un instrumento de "colonización psíquica", que conduce a la homogeneización social del planeta, la llamada *globalización*, que algunos creen que es el sumo bien (*summum bonum*) del hombre.

La televisión y la lectura

Por lectura nos referimos al hábito de leer. La lectura implica el sentido e interpretación de los textos escritos, y es el factor esencial de lo que llamamos alfabetización, es decir, la capacidad de leer y escribir.

La lectura nos conduce a concentrarnos en códigos inmóviles, que son las letras, e ir descomponiendo su sentido por un rápido proceso de interpretación. A partir de las letras, que fusionamos en unidades de sentido —es decir, en palabras—, vamos decodificando una serie de imágenes en nuestra mente al ritmo de la lectura. Si leemos la palabra *casa*, por el proceso de la imaginación aparece el concepto casa en nuestra mente.

La televisión inhibe este proceso de imaginar propio de la lectura. Ya no necesitamos pensar, ni deducir, ni razonar, ni usar la imaginación, ni valernos más de su fuerza inventiva. Como proceso natural de su tecnología, la televisión trabaja con imágenes y las entrega ya elaboradas. Al no mediar el razonamiento, la televisión ejerce un tremendo dominio sobre el espíritu del televidente, toda vez que éste absorbe mensajes publicitarios y de cualquier tipo de un modo pasivo, sin participación alguna. Mientras que mediante la lectura pensamos, elaboramos, imaginamos y dialogamos, ante la televisión, casi indefensos, sólo absorbemos mensajes. No es exagerado pensar que cuanto más televisión vemos, más tontos nos volvemos.

El efecto de la TV en la educación

Una investigación hecha por el Departamento de Educación de California muestra claramente que los niños que se sientan más tiempo frente al televisor son los que obtienen las peores notas en sus exámenes.

Desde el punto de vista educativo, hay dos elementos de la televisión que tienen mucha importancia. Una es que el sistema educativo presupone que no todas las cosas son inmediatamente accesibles; primero es necesario aprender ciertas materias que nos permitirán comprender otras, y que la dedicación, el trabajo y el tiempo son vitales en el estudio, antes de lograr cierto conocimiento. Esto queda eliminado por la televisión, pues ella transmite la información sin gradualismo alguno. En segundo lugar, la televisión abre todos los secretos y tabúes de la sociedad, borrando, a golpe de imágenes, la línea de separación que debe existir entre la infancia y la edad adulta. La televisión propone una cultura homogénea que no respeta edades.

En la mayoría de los programas se detecta una especie de desprecio por el intelectualismo, por el conocimiento serio y riguroso. Más bien, se ensalza la chabacanería, el lenguaje vulgar y el comportamiento liviano. Es difícil que en la televisión podamos ver un modelo de alguien educado y a la vez admirable.

La violencia

Ya a mediados de la década de 1980, el Instituto Nacional de Salud Mental de los Estados Unidos preparó un informe en el que resumió más de 2.000 estudios acerca de la influencia de la televisión en el comportamiento humano. El resultado fue contundente: un abrumador consenso de que la violencia proyectada por la televisión incita al comportamiento agresivo. Durante diez años, un telespectador habrá visto unos 150.000 episodios violentos y unas 25.000 muertes violentas, lo que es muchísimo más de lo que vio un soldado de cualquier nación en una guerra.

Leonard Eron, profesor de Psicología de la Universidad de Michigan, y sus colegas de la Universidad de Illinois estudiaron la "dieta" televisiva de 184 niños con 8 años de edad y la relacionaron con la conducta de estos mismos chicos cuando tenían 18 años. El informe fue el siguiente: "Cuanto más violentos fueron los programas presenciados en la niñez, más belicosos resultaron como jóvenes adultos. Encontramos que su conducta estaba plagada de acciones antisociales, desde el robo y el vandalismo hasta los ataques con armas mortales. Los niños adquirieron hábitos de agresividad que persistieron, por lo menos, durante diez años".

Un informe de la Comisión del Poder Judicial del Senado de los Estados Unidos, titulado "La violencia en los medios conduce a la violencia juvenil", cita el caso de la "masacre de Littleton, Colorado". El 19 de abril de 1999 se produjo el episodio conocido como "la masacre en el Colegio Secundario de Columbine", en Littleton, Denver, Colorado. Este episodio desató un debate nacional respecto a cómo responder a la cultura de la violencia en los medios de comunicación.

Luego, el informe del Senado decía lo siguiente: "En mayo de 1999, *USA Today, CNN* y *Gallup* desarrollaron una encuesta que indicó que el 73 por ciento de los estadounidenses cree que la televisión y las películas conforman una causa parcial de los crímenes juveniles. La encuesta de *Time* y *CNN* arrojó resultados que indican que el 75 por ciento de los adolescentes entre 13 y 17 años cree que Internet es parcialmente responsable de los crímenes como Littleton, el 66 por ciento culpa a la violencia en el cine, la televisión y la música, y el 56 por ciento a la que se expone en los videojuegos".[2]

En general se sostiene que un episodio violento que una persona haya visto en el pasado, sumado a un determinado estímulo, puede exteriorizarse en un acto de violencia. De este modo, la violencia televisiva "refuerza" los patrones de conducta violenta aprendidos anteriormente.[3]

En los pasados 30 años, varias comisiones del gobierno federal norteamericano han informado acerca de estudios que demostraron una relación directa entre la violencia en la televisión y la conducta social agresiva. El último de los informes concluía categóricamente que algunos programas de televisión incitan a la violencia. Como el caso de dos niños que llegaron a la sección de emergencias de un hospital como consecuencia de los golpes de una madre soltera que imitó a un personaje que vio en la televisión.

Uno de los niños murió como consecuencia de los golpes recibidos.

Este episodio ilustra otro aspecto importante: No sólo los niños, sino también los padres pueden imitar las escenas de abuso, de desmesura o de crimen que ven en la televisión.

La imitación de la violencia por parte de los niños y de los adolescentes ya se había documentado muy bien y en diferentes casos, incluyendo el asalto (*Boston Evening Globe*, 24 de abril de 1978), el homicidio (*Phoenix Gazette*, 15 de agosto de 1980), y el suicidio, pero entonces no había habido estudios relativos a la conducta de los padres frente al televisor. Pero a esta altura podemos decir que también los adultos imitan la violencia que ven en un programa de televisión.[4] Por lo tanto, la discriminación: "Prohibido para menores", bien podría sustituirse por algo así: "Prohibido para toda persona decente".

¿Por qué no se reduce la violencia en la televisión? El informe de dos investigadores, Clark y Blankeburg, sostiene que es la popularidad del programa de televisión la que domina la elección del televidente. Como las películas con alta dosis de violencia son más populares, los canales compiten entre sí para llevar a la audiencia las películas más "taquilleras", es decir, las más violentas. Esto hace imposible que exista control alguno, porque la demanda es el factor determinante de la proyección de una determinada película. El único control que queda está en el botón del encendido, pero para hacerlo funcionar se requiere fuerza de voluntad. Lamentablemente, la fuerza de voluntad es un bastión debilitado por el influjo seductor de las imágenes televisivas.

Muchos pensamientos y actos que consideramos espontáneos e individuales, propios de nuestra personalidad, son solo respuestas a la información programada que llegó hasta nuestro subconsciente, sin que nos diéramos cuenta de cuándo la recibimos y por qué medio. Esta manipulación mental constituye una grave amenaza para nuestra libertad y seguridad.

Michael Medved sostiene que hay cuatro mentiras operativas detrás de la enorme dosis de violencia televisiva: (1) que la violencia no afecta a la gente, (2) que dicha violencia sólo se limita a reflejar la sociedad, (3) que es lo que a la gente le gusta, y (4) que siempre es posible apagar el televisor. En la actualidad existe un consenso entre los científicos sociales de que hay una conexión causal entre la exposición a la violencia a través de los medios de comunicación y la conducta violenta.[5]

El sexo

Considero importante el informe preparado por Joyce Sparkin y Theresa Silverman para *TV and Teens* (La televisión y los adolescentes) en el que se señala que los mensajes que la televisión proporciona con respecto al sexo y al romance no conducen al adolescente hacia una actitud sexual madura ni hacia una conducta responsable. El mismo estudio demuestra que son más frecuentes los casos de embarazo en las jóvenes televidentes que en las que no miran televisión, porque las primeras tienden a depositar una mayor confianza en las experiencias con el sexo opuesto para asemejarse a sus "heroínas" de la televisión.[6] Ésta no es más que otra evidencia de la influencia que ejerce la televisión en las decisiones de las personas.

Televisión y obesidad

La revista *Pediatrics*, especializada en investigaciones de conducta infantil, ha determinado una significativa asociación entre el tiempo destinado a mirar televisión y la obesidad de los televidentes infantiles y adolescentes.

Como ante el tubo de imagen el espectador adopta una actitud pasiva —física, mental, social y espiritual—, es lógico que no requiera consumir mucha energía. A su vez, la publicidad televisiva orienta al público juvenil a una serie de productos que pueden ser consumidos mientras se contemplan los programas. Es reconocido que una buena parte de dichos productos contienen un elevado índice de calorías, como lo son los alimentos destinados a los desayunos, los dulces en barra, las bebidas gaseosas y los helados.

La pasividad y la ausencia de gasto energético, a las que se suma el consumo de alimentos, se van transformando en grasas que lentamente deforman la silueta de muchos niños y adolescentes.

Esta asociación entre la obesidad y la televisión, especialmente en adolescentes de entre 12 y 17 años de edad, fue objeto de estudio. El resultado de la investigación demuestra que el índice de obesidad es significativamente más alto entre los adolescentes que miran televisión diariamente que entre quienes no lo hacen.[7]

La amenaza a la imaginación infantil

En 1988 la Comisión de Comunicaciones del Concilio sobre Salud en la Infancia y Adolescencia emitió un documento destinado a proteger a los niños de la explotación de la que pueden ser objeto por medio de la televisión.[8]

Uno de los sorprendentes recursos de la mente infantil siempre ha sido la imaginación. Ese maravilloso recurso suple o complementa muchísimas falencias. Por su medio, las cajas de zapatos se pueden transformar en imponentes camiones; los cajones, en automóviles; las calabazas vacías, en cascos protectores. Pero en la actualidad, hay todo tipo de juguetes, que incluye además a los atractivos videojuegos y a la Internet.

Hay avisos publicitarios con juegos o juguetes destinados al niño como consumidor. Una alta proporción de los juegos y juguetes se relaciona con la conducta agresiva o violenta. Dicha publicidad tiene varios elementos en común. Uno de sus rasgos más preocupantes es el de favorecer la pasividad intelectual del público infantil y también inhibirlo del juego creativo o imaginativo.

Pero también aparecieron etapas en la relación televisión-juguete-niño. Inicialmente, la promoción de juguetes en la televisión estaba limitada a los avisos comerciales. Luego de que se compraba dicho juguete, el niño decidía libremente cuándo y cómo jugar con él. Posteriormente la publicidad comenzó a demostrar al infante cómo utilizar mejor el juguete.

Los avances de la proyección comercial hicieron que el niño eliminara su capacidad creadora e imaginativa (le ofrecían el instrumento y le indicaban cómo usarlo), y también volitiva (le sugerían cuándo usarlo). Es importante reconocer que el momento del juego es un proceso activo y creativo que requiere de la imaginación. Pero esta iniciativa comercial, dirigida al niño como simple consumidor, interfiere en ese valioso proceso y favorece la pasividad; y lo que es más peligroso, genera dependencia.[9]

Nuevamente surge la preocupante figura de una libertad comprometida, de una voluntad manejada y de un vaciamiento de la imaginación de quienes han de ser los ciudadanos del futuro.

¿Y los valores religiosos?

Más de 50 millones de norteamericanos concurren a la iglesia con regularidad, sin embargo, raramente los programas de televisión reparan en ese aspecto. Millones de personas oran, pero pocas veces vemos que las personas oren por televisión. Muchas personas toman decisiones fundamentadas en sus principios religiosos, pero generalmente en los programas de televisión esa gente es considerada anticuada y aburrida.

En la televisión, las personas concurren a la iglesia solamente en los casamientos o en los funerales. En algunas ocasiones, las iglesias sirven de marco sólo para un interludio cómico. Los clérigos tienden a ser presentados como ineptos, vacilantes, indecisos o acomodaticios, y, en algunas ocasiones, como mentirosos o vendedores de esperanzas.

Robert E. A. Lee, cuando fue director de comunicaciones del Concilio Luterano para los Estados Unidos, en un artículo titulado "La dimensión perdida en los filmes", escribió: "Las películas de estos tiempos reflejan casi cada aspecto de la vida y de la muerte, pero rara vez muestran una experiencia que es común para millones de personas de este tiempo, la fe religiosa. ¿Por qué razón los productores han descuidado la dimensión de la religión en la temática de sus películas? ¿Cuándo ve usted que en una secuencia dramática aparezca una persona orando? Rara vez ocurre. Y, sin embargo, las personas oran. La mayoría de los habitantes de los Estados Unidos y de Canadá creen en Dios y lo buscan en oración, ya sea regular u ocasionalmente, pero lo hacen. Pero nada de esto se revela en películas cuyos censores permiten otras manifestaciones".[10]

Los valores éticos que comunican las películas actuales están muy lejos de ser cristianos. Armonizan más bien con una sociedad secular que proyecta la visión de un hombre y de una mujer autosuficiente.

Un recurso útil

Considero que es importante preparar a nuestros hijos para enfrentar el mundo en el que vivimos y ayudarlos a desarrollar criterios inteligentes ante lo que ven.

Fue provechoso para nuestra familia romper el hechizo televisivo cuando comenzamos a mirar un programa en forma comentada. En el diálogo se iban desgranando los recursos dramáticos que se empleaban, la estructura de la película, el objetivo que perseguía, los componentes que se utilizaban para hacerlo atrayente. En cierta ocasión fue interesante hacer un análisis de la película "Los Diez Mandamientos" y comparar su contenido con el que describe la Biblia. Este trabajo puede considerarse como una pérdida de tiempo, pero al hacerlo se puede comprender el valor inigualable de la formación de criterios que permiten detectar el terrible vacío de valores que hay en las películas.

Es obvio que, en muchos casos, la televisión está menoscabando aspectos vitales de nuestra existencia, conduciéndola a la pérdida de sus características esenciales.

En gran medida, esta manipulación a la que son sometidos miles de hogares diariamente nos va transformando en seres humanos indiferentes e insensibles ante los problemas de los demás, y llenos de brutalidad, de hostilidad y de violencia.

La televisión y el espiritismo

Constantemente, bajo el dominio del *rating*, la televisión le vende el alma a los programas que más venden, y su moral está subordinada al mercado: si se consume, se pone a la venta; y si se consume mucho, puede haber mayores ganancias.

El espiritismo está muy presente últimamente en la televisión. Ejemplo de esto son los siguientes programas: *Charmed*, *Ghost Hunters*, *Crossing-over*, *Médium* y *Ghost Whisperers*. De este modo, lo sobrenatural toma el control de la televisión en los Estados Unidos. Son programas de detectives psíquicos, de invasores extraterrestres, de cazadores de monstruos y de criaturas misteriosas que vienen a sustituir al viejo género de películas policiales. Esta tendencia incrementa una ola de ocultismo, revestido de elementos tecnológicos, que siguen amenazando los valores del cristianismo occidental.

La Biblia indica claramente que el contacto con los difuntos no puede existir. Las Escrituras indican que los "muertos nada saben" y su memoria es puesta en olvido (Eclesiastés 9:5). La búsqueda de ese contacto puede abrir una puerta hacia el engaño y los poderes demoníacos. Los creyentes no debieran contactarse con quien "practique adivinación, ni agoreros... ni hechicero, ni encantador, ni adivino, ni mago, ni quien consulte a los muertos. Porque es abominación" (Deuteronomio 18:10, 11).

Quienes se presten a establecer contacto con esas potencias de las tinieblas a través de un médium —quizás impulsados en cierta medida por estos programas de televisión—, pueden sin saberlo estar en contacto con demonios.

Dialogue en familia

Es necesario evaluar el tiempo que pasamos ante la pantalla. Es prudente analizar lo que hemos visto y el grado de virtud que se haya encontrado. Luego se podría descartar todo lo que resulte improductivo e innecesario.

En general, se debiera ejercer mucho cuidado en los hogares donde hay niños. No podemos permitir que la formación de nuestros hijos quede librada al criterio moral mediocre de empresas multinacionales cuyo único propósito es el consumo y el materialismo.

Nuestra familia, nuestra fe, nuestra escala de valores son factores que deben entrar en juego en esa estimación, y no podemos someterlos al manoseo consumista y superficial por el cual un hombre o una mujer sólo logran la felicidad si consumen los productos e ideas promocionadas.

Es necesario tomar distancia de un mundo que es y vende mentira. Nuestra mente y nuestra escala de valores jamás deberían ser objetos de la "colonización psíquica". Dios creó al hombre y lo insertó en un mundo de realidades, y le dio la facultad de la imaginación para que pensara en un mundo mejor. Pero no lo colocó en medio de fantasías, ni quebrantó por medio de técnica alguna su facultad soberana de imaginar. Solamente alguien que deseara destruir las más íntimas aspiraciones del hombre favorece un sistema que lo ata y lo deja librado al dominio exterior y a la manipulación de su mente.

En la mente se halla toda nuestra herencia cultural y todo el capital de nuestra voluntad. De ésta fluyen los pensamientos que determinan nuestra conducta. San Pablo dio un consejo orientado a salvaguardar el origen mismo de todo pensamiento cuando dijo: "Todo lo que es verdadero, todo lo honesto, todo lo justo, todo lo puro, todo lo amable, todo lo que es de buen nombre; si hay virtud alguna, si algo digno de alabanza, en esto pensad" (Filipenses 4:8).

Referencias bibliográficas

1. Jerry Mander es un activista norteamericano conocido por su libro *Four Arguments for the Elimination of TV* [Los cuatro argumentos para la eliminación de la televisión] (Nueva York : Morrow, 1978).

2. Citado en Senate Committee on the Judiciary, "Media Violence leads to Youth Violence", en Louise Gerdes, ed, Media violence. (Farmington Hills, Michigan Greenhaven Press, 2004), p. 21.

3. George Comstock, Steven Chafee, Natan Katzman, Maxweel McCombs, Donald Roberts. *Television and Human Behavior* (Nueva York, Columbia University Press, 1978), p. 396.

4. William H. Dietz, Jr. y Steven L. Gortmaker, "Violence on Television and Imitative Behavior: Impact on Parenting Practices". *Pediatrics*, t. 75, número 6, junio de 1985, pp. 1120-1122.

5. Daniel Samper Pizano. "La televisión con sangre entra", *Cambio 16* (España), 10 de mayo de 1993, p. 15.

6. Meg Shwarz. *TV & Teens: Experts Look at the Issue* (Reading, Massachusetts, Addison-Wesley Publishing Company, 1982), p. 134.

7. William H. Dietz, Steven L. Gortmaker. "Do We Fatten Our Children at the Television Set? Obesity and Television Viewing in Children and Adolescents", *Pediatrics*, t. 75, número 5, mayo de 1985, pp. 807-811.

8. En caso de que le interese información más reciente, vea Valkenburg, T. van der Voort. "Influence of television on day-dreaming and creative imagination". *Psychological Bulletin*, 1994: 116

(2) pp. 316-339, citado en Vicki Griffin, Paul Musson, Karen Allen y Evelyn Kissinger. *Living Free: Finding Freedom from habits that hurt* (Tecumseh: MI, The Humblin Company, 2006), p. 141. Leo Bogart. *Commercial Culture: The Media System and the Public Interest* (Nueva York, Oxford University Press, 1995), p. 8. J. Healty. *Endangered Minds: Why children don't think and what we can do about it* (Nueva York: Simon & Schuster, 1999), p. 196.

9. Documento de la Comisión de Comunicaciones aprobado por el Concilio sobre la Infancia y Salud del Adolescente. "Commercialization of Children's Television and its Effect on Imaginative Play", *Pediatrics*, t. 81, número 6, junio de 1988, pp. 900-901.

10. William G. Johnson. "The Challenge of Secular Thought", *Meeting the Secular Mind* (Berrien Springs, Andrews University, 1985), p. 18.

Para reflexionar

1. Según la Biblia, ¿cómo podemos controlar esa influencia que llamamos "colonización psíquica"? (Proverbios 4:23).

2. ¿Qué involucra el proceso de la lectura? ¿Mirar televisión desarrolla las mismas facultades mentales que leer un buen libro? ¿Cómo afecta a la mente pasar horas delante de un televisor? ¿Qué nos recomienda la Biblia? (Deuteronomio 6:4-9; San Juan 5:39).

3. ¿En qué forma ver actos violentos puede desencadenar en el ser humano una conducta violenta? ¿Qué aconseja la Biblia respecto del empleo de la violencia? (San Mateo 5:9).

4. La Biblia afirma que "los muertos nada saben" (Eclesiastés 9:5, 6). ¿Qué programas de televisión contradicen esta enseñanza? (San Juan 11:11-14). Si el alma fuera inmortal, ¿que hubiera dicho Jesús a Lázaro? (vers. 40-44).

Capítulo 5

Una sociedad *encantada*: la industria del entretenimiento

Sin duda, una de las reflexiones del cristianismo de todas las épocas ha sido la de su relación con la cultura. ¿Quién influye sobre quién? Esta pregunta está regulada por una estructura de valores respecto a qué es bueno y qué es malo en la cultura. Al hablar de cultura nos referimos al conjunto de modos de vida y costumbres, conocimientos y grado de desarrollo artístico, científico, industrial, de una sociedad en una determinada época. El término cultura incluye también los hábitos laborales, las tradiciones, las costumbres y las rutinas compartidas socialmente que respaldan y reafirman características colectivas.

Hoy, al hablar de *valores* debemos indicar que nos referimos a cualidades o bienes del carácter humano. En nuestro mundo materializado, colectivamente afectado por una visión materialista de la vida, el concepto "valor" (que viene de "valor económico") ha sustituido a la "virtud", palabra que se usaba para referirse a las bondades del carácter. Antes se hablaba de "virtudes cardinales", y la expresión se refería a la justicia, la templanza, la prudencia, la modestia y la fortaleza. Las revistas de principios del siglo pasado comúnmente reflexionaban y resaltaban estos aspectos del carácter individual. También era común que en instituciones educativas se enfatizara la "formación del carácter", resaltándose siempre aspectos relacionados al universo moral de la persona.

Incluso el concepto de la educación estaba modelado por esta visión. Se otorgaba importancia a los modales, las buenas costumbres, los usos protocolares en las relaciones personales, y no tanto al conocimiento teórico. En nuestro tiempo, el acento educativo se ha desplazado hacia la información, aspecto que algunos confunden lamentablemente con conocimiento o sabiduría.

Pensar en el cultivo del carácter es importante. Pero éste ya no parece ser un tema de preocupación en nuestra sociedad, ni en el campo secular ni religioso; más bien, las cuestiones del carácter han quedado casi exclusivamente en la órbita de la reflexión personal o en disciplinas como la meditación.

Sin embargo, no podemos negar que, lentamente, las buenas costumbres, las virtudes cardinales, el cultivo de las buenas tradiciones están siendo ahogadas por el asalto verbal y visual de los medios masivos de comunicación. Es como si toda la civilización occidental estuviera padeciendo internamente una grave decadencia moral, que amenaza su estabilidad y la pone frente al caos y la barbarie.

¿Es posible que una cultura influya sobre otra? ¿Es posible que una cultura que llegó al pináculo de su desarrollo ingrese en un proceso de deterioro?

Una interesante lección de la historia

La historia registra incidentes y episodios del pasado que pueden indicarnos que una cultura puede ser influida y modificada por otra cultura exterior.

Un proceso interesante de modificación cultural se describe en la *Enciclopedia Judaica*, en la sección titulada "Helenización". Fue sin duda ése un período histórico especial, pues en corto tiempo se dio una serie de acontecimientos que habría de producir una modificación notable en la cultura de las naciones circunvecinas.

Ese período fue el de la Grecia de Alejandro Magno. Alejandro, guiado por la formación que le brindó su educador (en griego, *paidagogos*: pedagogo, instructor), Aristóteles, llegó a albergar una visión hegemónica de su civilización. El término griego *hegemonía* significaba la consolidación fundamental de la raza humana bajo un mismo estado universal y una misma cultura. Hoy sabemos que ese término griego es el antecedente de la llamada *globalización,* es decir, la universalización de la cultura occidental.

Bajo ese proyecto se produjo la guerra de conquistas. Alejandro no sólo estaba orgulloso de su cultura, sino que abrigaba la convicción de que las virtudes de su comunidad harían que pronto todo lo griego resultase atractivo para el mundo entero. Y si bien el imperio de Alejandro tuvo una corta existencia, y se dividió poco después de su muerte sin que hubiese nadie que heredase la misma visión y adoptara un sistema que financiara semejante proyección, las conquistas culturales perduraron más allá de la desaparición de la Grecia clásica. Aunque Grecia regresó a sus fronteras, los imperios y naciones del Asia Menor adoptaron la lengua y la cultura griegas.

El helenismo se transformó en un fenómeno cultural que invadió la mente, la reflexión, la filosofía, el idioma, las costumbres, la indumentaria y el estilo de vida de muchos pueblos. Toda ciudad griega de la época podía ser fácilmente identificada. Se construían hermosos edificios públicos. Se levantaba un gimnasio para el desarrollo de la cultura corporal, enfatizada por los griegos. No faltaban los teatros al aire libre que tenían el propósito de brindarle a la población una temprana "industria del entretenimiento". Los habitantes vestían a la usanza griega, hablaban esa lengua y concurrían a instituciones educativas que conducían la reflexión bajo los parámetros griegos.

El helenismo sin duda era un gran desafío para el judaísmo, especialmente durante el exilio. Luego del cautiverio, los judíos se dispersaron en diferentes naciones. Se los podía encontrar radicados en el valle del Tigres, en Siria, en Antioquia, en Damasco, en Éfeso, en Egipto y especialmente en Alejandría. Y en ese contexto cultural experimentaron el impacto de la nueva cultura que atraía arrolladoramente a las nuevas generaciones.

Fue en esa época cuando los jóvenes judíos comenzaron a participar en los famosos juegos griegos, u olimpíadas. En estas competencias deportivas se participaba completamente desnudo, por lo que muchos jóvenes hebreos, avergonzados de la circuncisión, se sometían a dolorosas operaciones quirúrgicas para que no se percibiese la huella que el rabino dejaba al octavo día del nacimiento en el órgano masculino. Sin embargo, no pudieron evitar ser objeto de las burlas de los otros jóvenes a quienes deseaban imitar.

La influencia griega llegó hasta Palestina y Jerusalén. Y así fue cómo los judíos comenzaron a adoptar no sólo costumbres griegas, sino que también incorporaron su lenguaje, su filosofía, su cosmovisión, su estilo de vida, y terminaron adoptando nombres griegos, como en el caso de Nicodemo, del que habla el Evangelio de Juan (S. Juan 3:1). Hasta el Talmud (escrituras hebreas) revela el grado de penetración de la cultura griega en el pensamiento judío: en la sección homilética se encuentran entre 2.500 y 3.000 vocablos de origen griego. De hecho, la conocida versión de la Biblia llamada Septuaginta no es otra cosa que la primera traducción al griego de las Escrituras hebreas. Ha habido siempre críticos que insisten en que dicha versión es una especie de mezcla de judaísmo y helenismo.

Esta influencia produjo una doctrina que en medio de las influencias se infiltró para quedarse: la de la preexistencia o inmortalidad del alma. Esta doctrina tuvo en Platón su más famoso difusor: "Además hay algunas partes del cuerpo, los huesos, los tendones, y todo lo que es similar, que aunque aquel se pudra, son, valga la palabra, inmortales. ¿No es verdad? Sí. Y el alma, entonces, es la parte invisible que se va a otro lugar de su misma índole, noble, puro e invisible, al Hades, en el verdadero sentido de la palabra, a reunirse con un dios bueno y sabio".[1]

Esta presión cultural extranjera llegó a generar un grado de influencia social que fragmentó en sectas a la sociedad judía: saduceos, fariseos, esenios, celotes, apocalípticos. Dichas comunidades se distinguieron por el grado de resistencia a la influencia griega. Un hecho es real: nunca más la sociedad hebrea volvería a ser igual.

En resumen, ¿influye y modifica una cultura a otra? La historia indica que sí, y la expansión ideológica demuestra repetidas veces que las ideas influyen en la adopción de estilos de vida nuevos.

La cultura y la industria del entretenimiento

Sin duda, la cultura se expresa a través de la industria del entretenimiento y ésta pretende ser sólo un reflejo de lo que sucede en la sociedad. Por primera vez en la historia humana, las historias no se narran a través de los padres ni de los colegios ni de las iglesias ni de las comunidades o tribus, sino por medio de corporaciones vinculadas a los medios masivos de comunicaciones, interesadas en comercializar todo.

La industria del entretenimiento informa y demuestra cómo viven los seres humanos, cómo piensan y cómo debieran vivir. Y esta industria utiliza elementos convincentes para expresar sus ideas: la imagen y el sonido. De este modo, en miniatura y compactada en programas mayormente de una hora, representa una realidad que siempre tiene una buena dosis de ficción.

La "industria del entretenimiento" consiste en una serie de corporaciones nacionales y multinacionales dedicadas al entretenimiento. Esta industria está controlada por los medios masivos de comunicación y los consorcios comerciales, que dominan la producción, la publicidad y la distribución de productos dedicados al entretenimiento. Cubre una variada gama de disciplinas, como la danza, el drama, el teatro, la música, la ópera, las comedias, los deportes, los conciertos y el cine. Este último comprende casi todas las otras disciplinas en su esfera. El cine ofrece un menú intensamente atractivo de personajes, historias, ficciones y temas de actualidad, todo revestido con una alta tecnología en materia de sonido y fotografía.

¿Cómo reaccionan los cristianos ante esta manifestación de la cultura contemporánea? Directa o indirectamente, el cristiano contemporáneo es un consumidor de productos culturales y de las artes populares.

Según sondeos estadísticos, los cristianos consumen lo que ofrecen los medios de comunicación como cualquier no creyente. Nueve de cada diez hogares en los Estados Unidos tiene televisión por cable y programación satelital; el 93 por ciento posee un sistema de video.[2] No hay mayor diferencia entre los cristianos y los demás sectores sociales en relación a sus preferencias visuales. "Los cristianos que han nacido de nuevo —dicen los sondeos de George Barna— pasan un promedio de siete horas diarias mirando televisión, más que el tiempo que dedican a las actividades espirituales como la lectura de la Biblia, la oración y la adoración".[3]

Un detalle significativo es el hecho de que gastan el doble de dinero en entretenimiento que lo que donan a sus iglesias. "Y pasan más tiempo navegando en Internet del que dedican a Dios en oración".[4]

Las encuestas indican que la mayoría de la población en los Estados Unidos se identifica como cristiana, pero esos mismos sondeos indican una amplísima gama de respuestas. El 67 por ciento de la población adulta en los Estados Unidos, esto es 2 de cada 3, confiesa haberse "consagrado al Señor Jesucristo y lo considera algo importante en su vida personal". Sin embargo, sólo un 41 por ciento indica haberse consagrado por completo, mientras que un 44 por ciento señala que se ha "consagrado parcialmente" a su fe.

En los asuntos jurídicos, los estadounidenses juran sobre la Biblia. El 80 por ciento sostiene que la Biblia es la Palabra inspirada de Dios, aunque solo el 20 por ciento indica que la ha leído en su totalidad. El 50 por ciento de la población censada indica que rara vez o nunca lee la Biblia, en tanto que el 51 por ciento afirma que no la lee "porque no tiene tiempo". Un 40 por ciento dice que la Biblia es difícil de leer.

En general, es posible afirmar que en este país el 82 por ciento de la población cree en el poder de la oración. Curiosamente, sin embargo, un 53 por ciento de los encuestados dice que "todos oran al mismo Dios o espíritu, sin reparar en el nombre que tiene dicha entidad espiritual". Un 84 por ciento indicó no tener idea de lo que significaba la frase "Id, haced discípulos en todas las naciones". El 63 por ciento no supo decir a qué se refería San Juan 3:16.

Un 81 por ciento dijo creer en la existencia del cielo, y un 61 por ciento respondió creer que es el lugar a dónde se va después de la muerte (un 15 por ciento respondió que al purgatorio). El 63 por ciento dijo que creían en la existencia del infierno. Y solo 1 por ciento dijo que ése era su destino final.

Al analizar algunas de estas estadísticas, George Gallup dijo: "Lo sombrío es que la mayoría de los norteamericanos no sabe lo que creen o por qué lo creen".

Basado en los sondeos de opinión, George Barna distingue siete grupos de fe en los Estados Unidos, cuatro de los cuales son cristianos: Los que representan *un cristianismo bíblico* y aceptan la autoridad de la Biblia. Este grupo cree en la salvación en Cristo, participa en actividades de evangelización y desarrolla una participación activa en la vida de la iglesia. Expresa una vida religiosa informada por los principios de la fe. Este grupo se adhiere a los principios morales absolutos.

Otro grupo es identificado como *el cristianismo convencional*, que cree en la salvación en Cristo, participa en la vida de la iglesia, valora las enseñanzas de la Biblia, manifiesta su fe en forma privada, lleva una vida con cierta influencia de los principios de la fe y se ajusta a una moral relativa.

El grupo de los que son *culturalmente cristianos* cree en la salvación universal y en una salvación en base a las obras. Revela un grado de participación nominal (van a las iglesias en raras ocasiones, para casamientos o en Navidad). No son practicantes; son cristianos por herencia. Este grupo revela una moralidad elástica.

Los que practican *la Nueva Era*. Desarrollan una visión personal de la vida de fe. Adoptan sus principios religiosos basados en una variedad de fuentes. No creen en una autoridad religiosa centralizada. Adoptan una visión de la divinidad entremezclada con el yo, y se concentran más en la conciencia religiosa que en la práctica de la fe.

Los sondeos revelaron que todos estos sectores consideran que ir al cine, escuchar la música popular y ver televisión es algo común. En general es posible decir que una amplia mayoría de los cristianos simpatiza y es fuertemente influida por las corrientes culturales actuales. Esto se revela en el alto grado de conocimiento que tienen de la música popular, de los programas de televisión, de las películas o de cualquier otra actividad de entretenimiento.

Las teologías de Hollywood

En este contexto, que indica a voces la debilidad y fragilidad de la identidad del cristianismo actual en esta sociedad, muchos creyentes son adictos de Hollywood.

Conocen a la perfección la temática de las películas que ofrece esa industria del entretenimiento y ni siquiera adoptan una actitud crítica, de análisis, cuando consumen esos productos culturales. De este modo, jóvenes y adultos conviven en un mundo en que la ficción se entrelaza con la fe religiosa.

Un fenómeno que ha llamado la atención de los analistas de la industria del entretenimiento es la apelación constante de Hollywood a la fe cristiana. Incluso hay en algunas películas planteos teológicos. Por teología (vocablo que viene de *theos*, Dios, y *logos*, estudio) se entiende la disciplina que estudia la persona de Dios. Es interesante cómo Hollywood se interesa por los temas religiosos y aun teológicos. Este fenómeno es observable en la estructura, en la forma, en el contexto, en el vocabulario y en la orientación de la trama de muchísimas películas. Aunque muchas veces los temas no sean explícitamente religiosos, casi siempre se observa una cosmovisión religiosa que subyace en el desarrollo de la película y se expresa en mínimos detalles. Esta cosmovisión no es necesariamente bíblica, y en algunas ocasiones incluso desvirtúa por completo los valores de la fe cristiana.

Algunos ejemplos de lo que venimos diciendo son *La guerra de las galaxias*, *El planeta de los simios* y *El señor de los anillos*. Por ejemplo, en *El planeta de los simio*s hay una escena donde un simio ora y se encomienda a una divinidad superior, utilizando la misma estructura del Padrenuestro cristiano.

Luego de uno de mis seminarios sobre la influencia de la industria del entretenimiento en la cultura contemporánea, un concurrente hizo mención a esta oración de *El planeta de los simios*. Es una oración que se realiza antes de tomar los alimentos. Dicha plegaria dice así:

> Te damos gracias
> Semos
> por los frutos de la tierra.
> Bendícenos, Padre, que creaste a
> los simios a tu imagen.
> Precipita el día en que regresarás
> a traernos paz a todos tus hijos.
> Amén.

Observemos que la oración se eleva desde "el planeta de los simios", un lugar del universo paralelo al de los seres humanos, y se utilizan expresiones como "bendecir" y "amén" (voces originalmente venidas de raíces hebreas). La plegaria se dirige a un dios llamado Semos, quien creó "a los simios a su imagen". Se agradece por los "frutos de la tierra" y se ruega por la "venida" o regreso de dicha divinidad, indicando que su presencia traerá la paz a sus hijos (es decir, a los simios). Nos encontramos con que, a todas luces, esto es una blasfemia. Es un insulto a la fe cristiana.

En una entrevista que le hiciera Bill Moyers al director de la película, George Lucas, éste reconoce que en sus trabajos hay un grado de dependencia de las ideas de Joseph Campbell (1904-1987), escritor americano especialista en mitología,[5] quien tiene una visión demoledora del cristianismo.

Lucas menciona en este artículo que uno de los factores motivadores para él fue el interrogante que surgió en su juventud: "Si hay un solo Dios, ¿por qué hay tantas religiones?". Esta inquietud no respondida lo condujo a pensar que, al fin y al cabo, todas las religiones son iguales. Fue así que en algunos de sus trabajos aparece la controversia entre el bien y el mal en un ámbito surrealista y ficticio, con elementos propios de la teología cristiana. Entrelazados en los diversos diálogos y en distintos contextos y universos, sus películas reflejan conceptos como la tentación, la redención, la salvación, la oración, la expiación, la sustitución y la misión. Lucas toma ideas del cristianismo, pero también del judaísmo, del shintoismo, del hinduismo y de las religiones orientales.[6]

Esta mezcla, visual y reflexiva, entre conceptos cristianos e ideas provenientes de mitos paganos antiguos es sumamente peligrosa, pues pone al espectador o lector a merced de conceptos religiosos, códigos éticos y valores que no necesariamente armonizan con las enseñanzas de Jesucristo ni con las Escrituras.

Luego de haber revisado a través de la historia cómo una cultura en muy pocos años impuso sus valores culturales sobre otra, cómo llegó a producir modificaciones en su forma de concebir al mundo, en su estilo de vida, en su lenguaje y en su filosofía, al grado de afectar incluso su religión y sus doctrinas, es importante preguntarnos: ¿Con qué alimentamos nuestra mente? ¿Qué salvaguardas adoptamos para cuidar nuestras "avenidas del alma"?

Una autora cristiana expresa una reflexión magistral que nos invita a evitar la manipulación de nuestra mente por los medios de comunicación masiva. Dice: "Es una ley del espíritu humano que el ser humano se asemeja a lo que contempla".[7] Permitamos que sea el Espíritu Santo quien ilumine y guíe nuestros pensamientos.

Referencias bibliográficas

1. Platón. *Fedón* (Buenos Aires, Hyspamérica Ediciones Argentinas S. A., 1983), p. 181.

2. Para estadísticas acerca de la conducta de los miembros de iglesias cristianas en los Estados Unidos, ver. www.barna.org.

3. George Barna citado por William D. Romanovsky. *Eyes Wide Open* (Grand Rapids, MI, Brazos Press, 2001), p. 22.

4. *Ibíd.*

5. Joseph Campbell. *The Masks of God* (Nueva York, Viking Press, 1959). En 1988, junto con Bill Moyers, Betty Sue Flowers, publica también, *The power of Myth* (Nueva York, Double Day, 1988).

6. *Ibíd.*

7. Elena de. White. *Patriarcas y profetas* (Pacific Press Publishing Association), p. 79.

Para meditar

1. De acuerdo a las encuestas de George Barna, ¿cómo reaccionan los cristianos ante la influencia de la "industria del entretenimiento"? ¿Cómo debieran reaccionar? (S. Mateo 5:14-16).

2. ¿Qué significa la "formación del carácter"? ¿Es importante este concepto para un cristiano? ¿Por qué? Analice la "escalera de virtudes" que sugiere el apóstol Pedro (2 Pedro 1:3-8).

3. ¿Puede una cultura influir sobre otra? ¿Qué valores fueron afectados en el judaísmo a causa de la "helenización"? ¿A qué se expone una cultura cuando pierde el rumbo? (2 Pedro 2:5, 6).

4. Sabemos que la transformación por la contemplación es una ley del espíritu, ¿qué esperamos que suceda con nuestra vida espiritual cuando pasamos horas "contemplando" los modelos de conducta que nos propone la televisión? Analice 2 Pedro 2:12-16; 3:13-15.

Capítulo 6

Niños en peligro

En este capítulo la reflexión se orienta a analizar cómo la mente indefensa, adulta o infantil, puede exponerse en momentos de esparcimiento a la influencia de invenciones o ideologías perniciosas.

Desde fines del siglo XIX, como uno de los subproductos de la revolución gráfica, fueron apareciendo series de historietas, conocidas como "tiras cómicas", "revistas de historietas", o "comiquitas" en nuestro idioma español. Algunas aparecieron en la sección final de los periódicos, y esa sección era parte del atractivo de la prensa escrita. En esos años, el *World* de Nueva York, propiedad de Joseph Pulitzer, y el *Journal*, también de Nueva York, de William Randolf Hearst, competían por satisfacer el apetito de una multitud de ávidos lectores. Ambos periódicos publicaban historias escandalosas. Se llegó a afirmar que cuando las noticias escaseaban, tanto Pulitzer como Hearst no dudaban en inventarlas. Ciertos historiadores sostienen que ambos periódicos precipitaron la guerra hispanoamericana de 1898.

En 1896 apareció la primera tira cómica en el *World*. Era una creación de Richard Outcault, y se llamaba "The Yeallow Kid". En poco tiempo, la circulación del *World* superó la del *Journal*. Así se inició una batalla en el campo de las tiras cómicas y las historietas en dibujos. En la década de 1930 aparecerían tres historietas que se hicieron famosas en poco tiempo: "Buck Rogers", "Súperman" y "Tarzán".

Por esa época comenzaron a publicarse las primeras revistas de historietas basadas en los dibujos y en los temas que originalmente habían aparecido en los periódicos. Estas revistas, con sus peculiares temas de acción, estuvieron en pleno auge poco antes de la Segunda Guerra Mundial. Sus ventas fueron fabulosas. En 1941 se llegaron a vender diez millones de copias en un mes, que en 1947 trepó a los sesenta millones de copias en el mismo lapso.[1]

En medio de un consumismo masivo, y en una época en la que miles y miles de niños, jóvenes y adultos alimentaban sus mentes con este tipo de publicaciones, comenzaron a surgir los primeros estudios psicológicos que analizaron este género de comunicación fantasioso. Entre ellos, *Seduction of the Innocent* (La seducción del inocente),[2] escrito por el psicólogo Fredric Wertham, quien denunciaba la desviación del contenido de estas historietas, que más allá de su apariencia inocente y de sus vivos colores, estaban llenas de violencia, a la cual se le sumarían dos importantes y novedosos ingredientes: primeramente el erotismo, y luego el sexo abierto.

Algunos estudiosos y analistas de este género literario consideraron que en estas historietas se describía minuciosamente un vasto universo de crímenes, por lo que si se quería enseñar a un niño cómo robar, mentir, asaltar o violar un domicilio, posiblemente ése era uno de los mejores medios. A su vez, dichas historietas no sólo enseñaban cómo realizar todos estos crímenes, sino que también instruían con respecto a cómo borrar todas las evidencias del delito. Por ejemplo, se describía que si se realizaba un robo, era necesario borrar las huellas digitales a fin de no dejar rastros.[3]

Algunos sostienen que sería exagerado afirmar que estos libros inducían al mal, y que las raíces de la conducta antisocial son mucho más profundas. Si bien este enfoque tiene su lógica, lo cierto es que el *comic* bien podía ser considerado un maestro de la conducta impropia. Alguien puede indicar que delinquir requiere sagacidad y una mentalidad delictiva, pero no dudemos que los *comics* transmitían información y orientación.

La verdad es que las formas más modernas y más serias de la delincuencia implican el conocimiento de ciertas técnicas, y las historietas proporcionan este conocimiento. Pero no se limitan a demostrar las técnicas, también sugieren el contexto. Posiblemente la lección más perniciosa consista en identificar a la inocencia con la ingenuidad o la torpeza, en tanto que la malicia se asocia a la sagacidad y al ingenio. Una especie de regla que se desprende de algunas historietas es que la inocencia no es inteligente y que la verdadera sagacidad y virtud se esconden en el mal.

Ya han pasado a la historia los *comics* históricos o historietas. Por allí desfilaron Tarzán, Superman, Flash Gordon, el Fantasma, Dick Tracy, Tobi, el gato Félix, el Hombre Araña, la Pequeña Lulú, Snoopy, Tom y Jerry, el conejo Bugs, Donald, Tribilín, el ratón Mickey, Asterix,

Hule, Olaf, etc. La gran mayoría de ellos solo viven ya en los archivos de los coleccionistas. En su mayoría han desaparecido. Hoy, hay otros personajes que cautivan la mente inocente.

Harry Potter

Harry Potter es un personaje de ficción moderno creado por J. K. Rowling, y se ha transformado en una serie de novelas, libros y video-juegos que atrapan la atención de los jóvenes y adolescentes en el mundo entero.

Es la historia de un jovencito huérfano criado por sus tíos, los Dursley, familiares que maltratan a Harry como si fuera menos que un sirviente. Harry ignora una herencia que lo conecta con el mundo de la magia y la brujería. Pero cuando cumple los doce años de edad recibe una notificación, por medios extravagantes, que le indica que ha sido aceptado en el *Hogwarts School of Wichcrafts and Wizardry*, para que desarrolle sus destrezas en el mundo de la magia.

Es así como Harry comienza a conectarse con un mundo distante que, en realidad, está interconectado con el mundo real. Uno de los aspectos visibles es el de la yuxtaposición del mundo de la magia y la realidad cotidiana. Quienes siguen la historia de Harry Potter se familiarizan con su historia personal, y saben de su cicatriz propinada por Lord Voldemort (cuyo nombre se evita pronunciar), quien es el archienemigo que mató a sus padres e intentó eliminar a Harry. Conocerán quiénes son sus amigos, y sabrán cuáles son los magos buenos y cuáles los malos.

El lector pronto se familiariza con magia, caldos, pócimas o brebajes, claves o códigos secretos (generalmente en latín), escobas voladoras, y una manta con poderes especiales, entre ellos el de tornar invisible a quien la viste. A su vez, el público infantil discierne toda una serie de poderes o habilidades que otorgan estos instrumentos. De este modo, los códigos de conducta se tornan flexibles, y lo que es bueno o malo es alterable, por lo que, de pronto, se pueden romper reglas, leyes o códigos de conducta, además de encubrir hechos con alguna justificación mentirosa, como el episodio donde un estudiante roba algo y luego se transforma en otro estudiante gracias a una poción mágica.

¿Puede todo esto tener alguna influencia negativa? Los correos electrónicos que se envían al sitio en Internet de Harry Potter revelan que los jovencitos están arrobados con Harry: "Me gusta lo que aprendí allí (en Hogwarts) y me gustaría ser una bruja", escribe Gioia Bishop de diez años. "Esta historieta te hace creer que puedes ser una bruja o un mago", dice Lili, de once años. "Este libro es asombroso, y contiene embrujos que me gustaría aplicar en el mundo real", dice Wang Wen, de doce años. "Este libro despertó en mí el deseo de tomar clases en Hogwarts, porque allí se enseña magia. Y me gustaría aprender magia, pero no he recibido mi carta de invitación todavía".[4]

¿Qué más se aprende allí? Harry Potter sostiene un variado repertorio de todas estas artes, entre los que se entretejen conceptos como la inmortalidad del alma y de la vida, la vida después de la vida, la comunicación con los muertos, la clarividencia y la reencarnación, entre otros.

Como vemos, la influencia de un libro en la mente de un niño es tremenda. La profesora Delia Schimpf de Fonseca, una educadora cristiana, analiza los riesgos para una mente infantil. Ella opina: "¿Cuáles son los resultados? Son imprevisibles, aunque se puede señalar algunos: "El dominio de la mente se produce en una etapa de la vida en la que los niños son más permeables a la penetración psicológica. Se desvía la atención de los aspectos importantes de la realidad para refugiarse en un mundo imaginario y fantástico, donde las soluciones se logran de modo mágico y sin esfuerzos, corriéndose el riesgo de conformar personalidades pasivas y sumisas. Se presentan desdibujados los límites entre lo que es posible y deseable hacer, y lo que no lo es, confundiendo y desorientando a los niños.

"Por su naturaleza, estos materiales no favorecen el desarrollo del pensamiento independiente, menos aún la capacidad crítica de los lectores. Este tipo de literatura tiende a formar una mentalidad mágica, que cree más en el destino marcado por los astros o los caprichos del demonio que en la necesidad de prepararse para el trabajo y el esfuerzo personal para la propia soberanía de la vida".[5]

Una visión distorsionada de la realidad

Es evidente que si un niño se pone en contacto con una dosis diaria de crimen, de violencia o de crueldad, como la que se encuentra en algunas historietas que están comenzando a aparecer ahora, puede llegar a pensar que así es el mundo que lo rodea. En muchas ocasiones el lenguaje de estas fantasías abusa de términos como "verdad", "real", "verdadero", "justo", etc. Así, paulatinamente, un niño puede confundirse entre la "verdad" de la ficción y la verdad real; además de ser inducido a desarrollar una concepción fantasiosa y disparatada de la realidad. Incluso se deforma en el niño el concepto de la justicia, porque la victoria pertenece solo al más fuerte o al que tiene más recursos.

Hay otra idea que subyace en estas ficciones: "Dios no es necesario". Dios es sustituido por súper seres que responden a sus códigos de conducta y de justicia, que asumen el patrimonio de lo superior y lo todopoderoso.

Fredric Wertham llegó a considerar que las ficciones de las historietas eran una especie de "escuela del crimen" en nuestra sociedad. Estos son sus efectos:

1. Llevan al niño a creer que la violencia es normal y forma parte de los diferentes aspectos de la vida.

2. Inspiran en el niño el prejuicio hacia los grupos minoritarios o extranjeros.

3. Describen a la mujer como portadora de tendencias a veces malignas, en ocasiones ingenuas, pero en resumidas cuentas como un ser de segunda categoría.

4. Trasmiten una concepción sexual desviada que puede llegar a sugerir un modelo de conducta deformado.

Vivimos en una época en que la educación formal lucha por sobrevivir en un mundo bombardeado por los medios masivos de comunicación. En la que los índices de alfabetización comienzan a indicar que las personas leen cada vez menos. En la que las imprentas cierran sus puertas. En la que lentamente la lectura se reorienta hacia la visión, a las imágenes, y los procesadores de textos corrigen automáticamente los errores. Vivimos en una época en la que la inteligencia individual comienza a asociarse a una gama de recursos técnicos, entre los cuales la computadora aparece como un elemento accesorio a la información. Es imprescindible reflexionar acerca de todo este proceso de cambio cultural y estudiar sus efectos.

Hoy muchos han quedado cautivos de estas imágenes, y deambulan por la realidad, pero viviendo en medio de sus fantasías mentales. Son ciudadanos de dos mundos. No podemos olvidar que detrás de las inocentes figuras, y más allá de la pluma de los dibujantes y guionistas, se mueve un mundillo en el que lo económico es lo fundamental, y para estos intereses es necesario vender lo que se consume con facilidad. En ese mundo del consumo, de la cultura de masas y de los intereses financieros, no existen reglas de virtud, de bien y de pureza; sólo es bueno lo que se venda y otorgue buenos ingresos.

La clave para administrar la influencia de estos elementos que dominan nuestra sociedad está en manos de los padres y de los educadores responsables.

Frente al mañana

Nuestra sociedad de hoy y de mañana tendrá las características que le imprimamos hoy en la educación de nuestros hijos. En la infancia y en la temprana adolescencia, el carácter del niño será moldeable y apto para implantar en él normas más elevadas que las que surgen de estas ficciones que asedian hoy la mente infantil. Es importante sembrar hoy, porque el futuro es hoy, porque los niños de nuestros días serán muy pronto los ciudadanos del mañana, y entonces ellos serán los responsables de aportar una dosis de criterio y sabiduría a la solución de los tremendos problemas que acechan a nuestra sociedad.

Pero antes de esto, será necesario tomar algunas decisiones:

1) *Controlemos las influencias negativas.* Es aceptado que no todo lo que está en el mundo es bueno y conveniente. Por esta razón, sería prudente que los padres vigilen el tipo de lectura o vídeos que ponen al alcance de sus

hijos. En todo hogar se debieran desarrollar pautas claras de orden y de disciplina.

2) *Es necesario buscar soluciones.* Obviamente éstas no son fáciles. Cada etapa de la vida tiene sus intereses, sus inquietudes y es prudente suministrar en cada una de ellas el material informativo más adecuado.

En los Estados Unidos, contamos con muchas editoriales cristianas que pueden aportar un excelente material para la educación de nuestros hijos. Es muy recomendable la lectura de *Las bellas historias de la Biblia,* una colección clásica para niños publicada por la Pacific Press.

Por otra parte, hay una gama extensa de juegos creativos y didácticos, como los rompecabezas, los estuches de laboratorio y los juegos de armar, etc.

3) *Pongamos énfasis en la educación en el hogar.* Concebimos la educación como el "desarrollo armonioso de las facultades físicas, mentales y espirituales", cuyo objetivo es "producir hombres fuertes para pensar y obrar, hombres que sean amos y no esclavos de las circunstancias, hombres que posean amplitud de mente, claridad de pensamiento, y valor para defender sus convicciones... que sean leales al deber como la brújula al polo".[6]

La aplicación de estas ideas traería un renovado sentido de la libertad; una libertad de la influencia manipuladora, una libertad de lo negativo, una libertad de las sutilezas dañinas. Y esta liberación pondría a los niños de hoy rumbo a una perspectiva brillante y eterna. Nuestra sociedad se renovaría, y estaríamos armonizando con los ideales del Creador, que dijo: "Instruye al niño en su camino y aún cuando fuere viejo no se apartará de él" (Proverbios 22:6).

Referencias bibliográficas

1. Norbert Muhlen, "Comic Books and Other Horrors: Prep. School for Totalitarian Society?" *Commentary*, enero de 1949, pp. 81, citado en Shearon A. Lowery y Melvin deFleur. *Milestones in Mass Communication Research* (Nueva York, Longman, 1988), p. 214-215.

2. Fredric Wertham. *Seduction of the Innocent* (Nueva York, Rinehart, 1954).

3. *Ibíd.*

4. Richard Abanes. *Harry Potter and the Bible: The Menace behind the Magick* (Horizon Books, Camp Hill, Pennsylvania, 2001), pp 240-245.

5. Delia de Fonseca. "¿Qué leen nuestros niños?", *Revista Adventista* (Asociación Casa Editora Sudamericana, Buenos Aires), diciembre de 2003, p. 20.

6. Elena de White. *La educación* (Pacific Press, 1958), p. 54.

Para meditar

1. ¿Qué puede ocurrir en la mente de un niño al leer una historieta o ver una película que enseña cómo realizar un robo? (S. Juan 8:34).

2. En la novela de Harry Potter hay ciertos conceptos que armonizan con enseñanzas sostenidas por el espiritismo, ¿podría indicar algunos? ¿Cree que estas ideas pueden afectar una mente infantil? ¿Cómo?

3. ¿Pueden ayudar a solucionar los problemas acuciantes del mundo real la fantasía o la ficción? (Filipenses 4:8).

4. ¿Cómo podemos ofrecer un "entretenimiento" que favorezca la "formación del carácter" en armonía con valores cristianos? ¿Cree que esto es importante? (Proverbios 22:6).

Capítulo 7

Atropellados por una mentira

Vivimos en una cultura de consumo, que constantemente nos invita a consumir productos culturales, entre los que se encuentran las ficciones impulsadas por escritores contemporáneos. Nuestra mente queda atrapada en reflexiones generadas por la ficción. Hay ocasiones en que nos resulta difícil distinguir la ficción de la realidad, especialmente cuando la ficción se viste de hechos reales e intenta cuestionar nuestras prácticas y valores ético-religiosos.

Precisamente éste es el valor interesante que nos plantea una ficción contemporánea que ha logrado un récord extraordinario de ventas. Me refiero a *El código de Da Vinci* (2003) y la consecuente película, que han despertado la atención de muchos sectores, especialmente porque parte de la trama de esta ficción echa abajo, de una manera que puede resultar inteligente al lector desprevenido, aspectos históricos y fundamentales del cristianismo.

Entre algunas de sus alegaciones, esta novela sostiene que la iglesia cristiana hizo desaparecer intencionalmente registros históricos, y afirma que hubo más de ochenta evangelios que compitieron para formar parte del Nuevo Testamento. Sostiene que María Magdalena era la persona a cargo de la iglesia primitiva. El argumento fundamental de la novela estriba en que había una sociedad secreta que mantenía ocultas evidencias que indicaban el linaje o descendencia de Jesús. Sostiene, entre otras cosas, que la divinidad de Jesús fue establecida por un concilio eclesiástico del siglo IV d.C.

Confunde un poco a los lectores que, desde una novela, se haga referencia a obras de arte, de arquitectura, de documentos y ritos secretos como históricamente verdaderos e irrefutables.

Esta es una obra de ficción, que plantea en su trama elementos ficticios o no reales, como lo son las instituciones y los lugares descritos de acuerdo a los fines de la argumentación de la novela.

Como en cualquier novela, la ficción transcurre en un contexto verosímil, es decir, parecido a la realidad, pero no real. Son ficción los hechos que se relatan, los nombres de los personajes, los papeles que desempeñan, el tiempo y el espacio en que actúan. Pero en el *El código de Da Vinci* se presentan algunas frases cautivantes para el lector que exige un mínimo grado de seriedad y rigurosidad histórica. Se habla de "historiadores religiosos", "especialistas en artes", "decenas de historiadores", "genuinos historiadores", "la historia bien documentada", "todos los eruditos", "evidencias bien documentadas", "evidencias históricas". A todas luces el autor intenta revestir de credibilidad la ficción.

A su vez, plantea recursos que pueden resultar bien acogidos incluso por lectores expertos en la historia. En ocasiones usa fuentes verificables o hechos incontrovertibles, como ubicar las acciones en un país protestante, desde donde se acusa a la Iglesia Católica Apostólica Romana de ocultamiento de fuentes y de un manejo sigiloso de evidencias. Este aspecto armoniza con la imagen de una iglesia que históricamente se ha movido con falta de transparencia, generando abusos y atropellos en nombre de la fe, a través del así llamado Tribunal de la Santa Inquisición. Muchos no olvidan que el lema identificador de la Iglesia Romana es *Semper Aenda* (La Iglesia es la misma).

Volviendo a *El código de Da Vinci*, el incidente central es el asesinato de un funcionario del Museo del Louvre, en París, Francia, quien es a la vez un alto dirigente de una sociedad secreta destinada a salvaguardar las evidencias del linaje de Cristo, con el fin de que no salga a la luz pública una información que sería devastadora para el catolicismo, poniendo en riesgo su misma existencia.

Por medio de una narración ágilmente matizada con una serie de códigos, acrósticos, palabras secretas, fórmulas matemáticas, datos escondidos en monumentos o tumbas, episodios históricos reales e inventados, personajes sombríos de la historia, el autor va guiando al lector en un mundo de misterio en el que siempre la destreza interpretativa queda en manos de un experto en simbología de la Universidad de Harvard.

El frenesí de episodios sucede con rapidez, como así también la frecuencia de encrucijadas y enigmas que los personajes deben confrontar. En medio de esa narración sin pausa, la argumentación nos confronta con informaciones y cuestionamientos que han llevado a vacilar a algunos cristianos. Veamos algunos planteamientos:

***El código de Da Vinci* cuestiona la Biblia.** "Casi todo

lo que nuestros padres nos enseñaron sobre [la persona de] Cristo, es falso" (p. 235). "La Biblia es un producto del hombre… no de Dios" (p. 231). "La Biblia, como la conocemos hoy, fue compaginada por el emperador pagano de origen romano, Constantino el grande" (p. 231). "Hubo más de 80 evangelios que fueron considerados para formar parte del Nuevo Testamento, y sólo unos pocos se eligieron para incluirlos: Mateo, Marcos, Lucas y Juan" (p. 231). "Constantino comisionó y financió una nueva Biblia, que omitía las referencias a los rasgos humanos de Jesús, y ornamentó aquellos evangelios que lo divinizaban. Los evangelios tempranos fueron prohibidos, reunidos y quemados" (p. 234).

El *Código de Da Vinci* impugna a Jesús. "En este concilio [Nicea]… se debatieron y votaron muchos aspectos del cristianismo: la fecha de la Pascua, la función de los obispos, la administración de los sacramentos, y, por supuesto, la divinidad de Jesús" (p. 233). "Se estableció a Jesús como el Hijo de Dios [es decir], oficialmente propuesto y votado durante el Concilio de Nicea" (p. 233).

María sentada a la diestra de Jesús. El *código de Da Vinci* afirma en el cuadro de *La última cena* de Da Vinci: "Jesús está en el medio, seis discípulos a la izquierda y seis a la derecha. Todos son hombres"… "¿Qué [dices] del que está sentado en el sitio de honor, a la diestra del Señor? Sophie examinó la figura que está inmediatamente a la izquierda….Era sin duda… una mujer" (p. 234).

¿Quién está a la diestra de Jesús en la imagen de Da Vinci? Desde mi punto de vista, éste no es un aspecto importante, pues no es un caso bíblico, sino más bien de conocimiento artístico. Sin embargo, creo prudente plantearlo para ir disipando dudas. Muchos historiadores de arte reconocen que es Juan, el discípulo amado. Juan no aparecería en ningún otro lugar dentro del cuadro. A Juan se lo describe como uno de los más jóvenes seguidores de Jesús, y algunos artistas lo representan como el más joven y aniñado. Sin embargo, un elemento importante se encuentra en los bocetos preparatorios, como el que se encuentra en la Biblioteca del Palacio real de Inglaterra, donde Leonardo Da Vinci mismo indica que es Juan. Un cuarto elemento, es que esta obra, *La última cena*, fue reproducida por otros pintores de esa época, y ese lugar siempre fue adjudicado a Juan.

El *Código de Da Vinci* afirma el sábado. Un inesperado regalo a la verdad, que provoca un muy hondo silencio de análisis y comentarios tanto católicos como protestantes, es la siguiente afirmación: "Originalmente, el cristianismo honraba el sábado judío como día de descanso, pero Constantino lo cambió para que coincidiera con el día pagano de veneración al sol... Hasta este día, la mayoría de quienes concurren a los servicios religiosos en la iglesia en domingo por la mañana no tienen idea que lo hacen en memoria del día semanal pagano destinado a honrar al *dios-sol*, o "*sun-day*" [domingo]" (p. 233).

La realidad es que cualquier protestante o católico que analice esta situación del cambio del día de reposo del sábado al domingo, sin preconceptos, y acepte la Biblia como la única y suficiente autoridad en asuntos de moral y doctrina, encontrará que el único día de descanso que se encuentra en toda la Biblia es, sin lugar a dudas, el sábado.

La Bíblia y el día de reposo.

A través del Antiguo y Nuevo Testamentos, es evidente que Dios separó un día cada semana para que fuese una bendición para el ser humano y ayudase a establecer una relación cada vez más íntima entre el Creador y sus criaturas.

El tema del día de reposo aparece por primera vez en el Edén, al final de la semana de la creación. "Fueron, pues, acabados los cielos y la tierra, y todo el ejército de ellos. Y acabó Dios en el día séptimo la obra que hizo; y reposó el día séptimo de toda la obra que hizo. Y bendijo Dios al día séptimo, y lo santificó, porque en él reposó de toda la obra que había hecho en la creación" (Génesis 2:1-3).

Por haber sido establecida en la creación, la observancia del sábado, el séptimo día de la semana, no era exclusiva para los judíos, sino para toda la humanidad. Ningún otro día de la semana ha recibido esta triple distinción en la Biblia. Dios lo bendijo, lo santificó y reposó en él.

El mandamiento de la observancia del sábado fue ratificado nuevamente en el Sinaí, cuando fue promulgado como el cuarto de los Diez Mandamientos (ver Éxodo 20:8-11). Allí dice: "Acuérdate del día de reposo* para santificarlo. Seis días trabajarás, y harás toda tu obra; mas el séptimo día es reposo* para Jehová tu Dios; no hagas en él obra alguna, tú, ni tu hijo, ni tu hija, ni tu siervo, ni tu criada, ni tu bestia, ni tu extranjero que está dentro de tus puertas. Porque en seis días hizo Jehová los cielos y la tierra, el mar, y todas las cosas que en ellos hay, y reposó en el séptimo día; por tanto, Jehová bendijo el día de reposo* y lo santificó" (la versión Reina-Valera de 1960 explica el asterisco [*] con las palabras, "Aquí equivale a sábado").

En el Nuevo Testamento, la observancia del sábado era una costumbre que no se cuestionaba. Jesús guardaba el sábado (S. Lucas 4:16). Los discípulos guardaban el sábado (Hechos 13:42-44). María la madre de Jesús, María Magdalena y otras mujeres observaron el sábado después de la muerte de Jesús (S. Lucas 23:56-24:1). También es contundente el hecho de que Jesús indicó claramente que el sábado sería guardado en el futuro cuando dio una profecía sobre la destrucción de Jerusalén y el fin del mundo (ver San Mateo 24:15-22).

Es obvio que no hay otro día de reposo según la Biblia, un día de reposo establecido por Dios en la creación, estipulado por los mandamientos, el ejemplo de Jesús y el de la iglesia cristiana primitiva. El *Código Da Vinci* tiene toda la razón al decir que la observancia del domingo es una falsificación institucionalizada y convertida en una tradición que no concuerda con la enseñanza genuina de la Biblia.

¿Qué decir de la Biblia?

La Biblia está compuesta por el Antiguo Testamento y el Nuevo Testamento. El Antiguo Testamento existía mucho tiempo antes de la existencia del cristianismo, y consecuentemente de Constantino. El Nuevo Testamento existía mucho antes de Constantino y el Concilio de Nicea.

La Biblia no es una creación del catolicismo; tampoco lo es el Antiguo Testamento judío, cuyo canon había sido aprobado mucho antes del surgimiento del catolicismo y de Constantino. Este monarca nunca tomó una decisión con respecto a qué debe incluirse en la Biblia y qué no debiera estar en ella.

Hubo ciertos libros de los tiempos bíblicos, identificados como apócrifos, cuya información puede ser de valor literario y cultural, que no fueron incluidos en el canon. Los apócrifos del Antiguo Testamento no fueron incluidos en el canon hebreo, o Escrituras (*Tanak*); sin embargo, tales obras no fueron destruidas u ocultadas. La norma para seleccionar qué documentos se debían incorporar al canon del Antiguo Testamento fue la *Torá*, o Pentateuco, y esto llevó a descartar libros que no armonizaban con las enseñanzas de las Escrituras.

A su vez, estaban los escritos *pseudoepigráficos*, término que significa "encabezamiento falso". Esta fue una forma literaria que floreció en una secta judía llamada "los apocalípticos". Ellos eran autores que usaban como seudónimos los nombres de grandes personajes del pueblo de Israel: Elías, Abrahán, Adán, Moisés, Jacob. El propósito era hacerles creer a los cristianos sus ideas particulares: "Vean, un importante líder de la fe les dice esto".

Cuando se comparan estos documentos con los verdaderos Evangelios, se detecta de inmediato una falta de simetría. Se nota fácilmente que estos libros apócrifos tienen un tono de literatura de ficción, como la que se encuentra en la literatura fantástica.

Lo que hace confiable a un Evangelio es su conexión con los apóstoles, y ellos con Jesús y con la iglesia primitiva. Existe una larga lista de información que atestigua que los libros del Nuevo Testamento son verdaderos: el estilo, las referencias a hechos históricos y a lugares geográficos, el carácter de los diálogos y de las enseñanzas de Jesús, la descripción del contexto social, la existencia de ciertas instituciones y personajes (como reyes, gobernadores y tetrarcas), la circulación de algunos tipos de monedas, etc. Todos estos elementos propios del texto serían luego verificados por los historiadores.

El Nuevo Testamento no se produjo en un vacío; es una narración que fue leída primeramente por la iglesia primitiva, que tenía una memoria común, conformada por testigos oculares de todas las cosas narradas en los Evangelios. Estos testigos corroboraron tempranamente las afirmaciones que componen lo que hoy llamamos los Evangelios. Los autores revelan un conocimiento personal de Jesús: de su nacimiento, de su familia, de su linaje, de sus conexiones familiares, de sus antecedentes étnico-sociales. Y, de hecho, de todos los elementos que, bajo la lupa de la verificación, interactúan con total precisión en un momento y en lugar histórico determinado.

Uno de los signos de identificación de un Evangelio genuino se manifiesta en su propósito. El propósito esencial de cada Evangelio era testificar de Jesús, no exaltar al autor; era testificar de la realidad de la vida, el ministerio, la pasión, la muerte redentora en la cruz, con todos sus terribles detalles, y de la gloriosa resurrección y ascensión del Señor Jesucristo.

Sólo un Evangelio canónico demuestra sucintamente quién es Jesús. Pues nos informa que es el Verbo, que es Dios (S. Juan 1:1), que se encarnó y habitó entre nosotros (vers. 14). Es el Cordero de Dios que quita el pecado del mundo (S. Juan 1:29). En una serie de metáforas, que remiten a cosas esenciales de la existencia, como el pan, el camino, la verdad, la vida, Jesús revela que antes que Abraham fuera, él es; y declara: "Yo soy" (8:58), que traducido es Yahvé, el nombre de Dios en el Antiguo Testamento. Juan nos revela que luego de la resurrección, Tomás, el discípulo que una semana antes lo había negado, lo reconoce como su Dios: "Señor mío y Dios mío" (S. Juan 20:28).

Es evidente que el Evangelio de Juan le indica a la iglesia del primer siglo que Jesús es Dios. Y la iglesia ya compartía esa convicción.

¿Cuáles eran las características de un seudo-evangelio? Se refieren a Jesús de una forma fantástica y esotérica. La teología o enseñanza que proclama tiende a ser desconocida para la iglesia primitiva, porque no encuentra eco en el Antiguo Testamento.

¿Qué podemos decir acerca del estado civil de Jesús? Las declaraciones de *El código de Da Vinci* al respecto son totalmente inapropiadas, pues no encontramos evidencias que indiquen la existencia de tal matrimonio en el Nuevo Testamento, ni en la literatura secular ni en los escritos *pseudoepigráficos*.

¿Podía un rabino ser soltero? Sí. En la comunidad de los esenios, o la comunidad del *Qum-ram*, se sabe que hubo rabinos o maestros solteros. Por ejemplo, hay eruditos que piensan que también Juan el Bautista era soltero.

¿Fue la divinidad de Jesús una agenda política? Es inexacto afirmar que la divinidad de Cristo fue propuesta y votada en el Concilio de Nicea. Lo que estuvo en discusión en Nicea era si Cristo había sido coeterno con el Padre. Ese punto produjo la famosa controversia con Arrio, y finalmente el concilio se inclinó por sostener que Cristo es uno con el Padre.

La afirmación que hace *El código de Da Vinci* da la impresión que recién a partir de Nicea se comenzó a considerar a Jesús como una persona con propiedades divinas. Ésta es otra imprecisión de las tantas que manifiesta esta novela.

Lucio de Samosata, escritor griego quien vivió en torno al 125 d.C. (más de doscientos años antes de Nicea), dice: "Los cristianos, como saben, adoran a un hombre [Cristo] hasta estos días". Plinio el Joven (112 d.C.), gobernador de Bitinia en el Asia Menor, le escribió al emperador Trajano sobre los cristianos. Plinio consultó a Roma por escrito para preguntar si debía seguir matando a los cristianos, pues renunciaban a negar a Cristo. Le respondieron que su único pecado era "reunirse cierto día de la semana al alba, momento en que cantan un himno a Cristo como a un Dios".[2]

Flavio Josefo, o Josefus ben Mattathias (37/38-100 d.C.), fue un escritor judío que narró la caída de Jerusalén en el 70 d.C. En su escrito *Antigüedades judaicas*, se refiere a Jesús: "Ahora fue en ese tiempo que Jesús, un hombre sabio, *si acaso estrictamente se lo puede llamar hombre,* porque realizó maravillas, un maestro... que atrajo la atención de muchos de los judíos, como de los gentiles. Era el Cristo y cuando Pilatos, por sugerencia de los principales entre nosotros lo condenó..."[3]

Estas son sólo algunas fuentes históricas no cristianas que desconocían que alguna vez habría en el futuro un Concilio de Nicea, y que registrando la historia de ese tiempo reconocieron objetivamente la existencia de Cristo, de los cristianos, de sus seguidores y de que fue adorado por ellos y considerado divino. Todo esto fue reconocido y registrado por un autor judío.

No debemos descartar la evidencia que nos brinda la arqueología, ciencia accesoria a la historia, a través de diversos descubrimientos que van corroborando la información que encontramos en el Nuevo Testamento. Ni debemos olvidar el valor de las profecías mesiánicas, registradas por el Antiguo Testamento y a las que se refieren los autores del Nuevo Testamento. Estas profecías fueron hechas siglos antes de los acontecimientos que luego fueron narrados por los propios autores del Nuevo Testamento.

El error de seguir a otro error

Esta es la historia de un mito contemporáneo. Un mito peligroso, pues ha debilitado la fe de muchas personas que no tienen sus raíces en tierra firme. Ha desalentado a cristianos que son como "nubes sin agua, llevadas de acá para allá por los vientos" (Judas 12).

El autor de *El código de Da Vinci* basa su tesis en *Holy Blood, Holy Grail* (Santa sangre, santo grial, 1982), en la información que ofrece sobre el Priorado de Sion. A su vez, los autores de este libro confiaron en los documentos provistos por Pierre Plantard, un francés que pasó un tiempo en la cárcel por fraude en 1953. Plantard y otras tres personas fundaron un club social en 1956 llamado el Priorado de Sion. Entre 1960 y 1970, Plantard creó una serie de documentos que comprobaban la existencia de un linaje descendiente de María Magdalena, a través de los reyes de Francia y que se extendía hasta el presente, incluyendo a Pierre Plantard. En 1993, bajo juramento, Plantard admitió que él había inventado toda esa ficción llamada el Priorado de Sion.

Umberto Eco, el semiólogo italiano, en su novela *El péndulo de Foucault* satiriza ese sistema de gestar historias que no responden a pruebas que corroboren la objetividad de la información que se ofrece.

El código de Da Vinci es una novela cuyo contenido es ficticio. Poner a este documento en otro plano ni siquiera es lo que el autor pretende, pues él mismo lo registra como novela.

La gran lección de *El código de Da Vinci* es que si nos apartamos de la verdad, podemos ser atropellados por la irracionalidad de la ficción, algo que corrobora la afirmación que el apóstol Pablo le dirigió a Timoteo: "Porque vendrá tiempo cuando no sufrirán la sana doctrina... y se volverán a las fábulas [mitos]" (2 Timoteo 4:3, 4).

Referencias bibliográficas

[1]Lucio de Samosata, *The Death of Peregrine* [La muerte del peregrino], p. 11-12, citado por Josh McDowell en *Evidence of Christianity* [Evidencia de la cristiandad] (Nasville, Tennessee: Thomas Nelson Publishers, 2006), p. 172.

[2]Plinio el Joven. *Epistles* [Epístolas], X, 96, citado en, Op. Cit, p. 173.

[3]Flavio Josefo. *Antiquities*, XVIII, 33, *Ibíd.*, p. 178.

Para reflexionar

1. En El código de Da Vinci *se cuestiona la Biblia. ¿Qué bases tenemos para confiar en la Biblia? Lea 2 Pedro 1:19-21.*

2. El código de Da Vinci *afirma que en los primeros siglos los cristianos observaban el sábado como día de descanso. ¿Coincide esto con lo que enseña la Biblia? Lea Éxodo 20:8-11; Apocalipsis 12:17.*

3. De acuerdo con las informaciones que se proporcionan en este capítulo, ¿cómo podemos distinguir un evangelio verdadero de otro falso? (S. Mateo 7:15; 2 Pedro 1:16; 2:1-3).

4. ¿Cuáles son las consecuencias de "seguir a otro error" en el plano religioso? (S. Mateo 15:14).

Capítulo 8

¿Quién gobierna tu mundo?

Esta es una pregunta importante. Cada uno de nosotros tendemos a depositar la confianza en lo que resulta más compatible con nuestras convicciones. Respondemos con mayor confianza a lo que armoniza con nuestra cultura y nuestras costumbres. Sin embargo, todos somos influidos por la cultura en que nos encontramos, y a diario debemos tomar decisiones que exigen nuestro mejor criterio.

En nuestra civilización occidental compiten una extensa gama de industrias que ofrecen sus productos culturales. No se puede negar que la pornografía ha tomado espacio en la sociedad a través de películas, las transmisiones de cable, las revistas y el Internet.

Cada año Hollywood produce unas 400 películas, en tanto que la industria pornográfica genera 700 filmes *por mes.* Se calcula que los ingresos globales llegan a los diez mil millones de dólares anuales. Este fenómeno ha alterado los valores y criterios de indumentaria de la sociedad en general. Hace 50 años una jovencita americana sentía vergüenza de presentarse en público con poca ropa, hoy las chicas se avergüenzan de ponerse mucho, incluso en la iglesia.[1]

Un pastor de jóvenes comentaba: "It is hard for me to speak to your hearts when all I see is your parts" [Es difícil hablarles al corazón, cuando todo lo que veo son sus formas].[2] Es que está ganando espacio un concepto que mueve la decisión de muchos jóvenes, y que dicta que como recurso de conquista social lo único que pueden hacer es mostrar su piel.

Este concepto equivocado va ganando aceptación a través de la "presión de los pares" (*peer pressure*), por la que muchas jovencitas creen que la única manera de abrirse una ventana al mundo y escalar socialmente es mostrarse y hacerlo según los requisitos del consumo. Creen que al final de este "arco iris" les espera un caldero lleno de riquezas, y que no se corren mayores riesgos. Se "esfuerzan" en la búsqueda de esa opción para vender *flashes* de fantasías visuales, y corren contra reloj pues es un proceso de tiempo limitado, por la juventud y la lozanía.

Estas jóvenes no tienen muchos recursos a mano. Lo único que tienen es su cuerpo, y lo cuidan y lo mantienen para ofrecer la mejor imagen posible, alimentando el consumo de fantasías visuales de los otros. Y así entran en un circuito de *oferta*, por el cual exponen sus cuerpos, y *demanda*, por el cual un público *voyeur* (persona que encuentra gratificación en la observación de cuerpos desnudos) es capaz de pagar por los servicios que se les ofrece.

Los consumidores saben bien que una fantasía es una "visión alternativa de la realidad". Sin embargo, en esta fantasía se nos ofrecen nuevos modelos de la bondad, de la verdad y, sobre todo, de la belleza.

Algo que impacta mucho es la filosofía "proselitista" de algunas de las publicaciones históricas de la pornografía, porque parecen tener una vocación religiosa en su afán de conseguir adeptos. En cierto sentido, muchas publicaciones pornográficas son religiosas, claro, en un sentido elástico de la palabra. Pues algunas de las revistas informan a sus lectores cómo llegar a ese cielo que desean alcanzar. Les indican qué es lo importante en la vida. Trazan una línea ética para sus consumidores (en la que la homosexualidad, el lesbianismo y el sexo extramarital son valores aceptados). Les informan cómo deben relacionarse con los demás, los orientan en qué cosas merecen poner sus energías y atenciones, les ofrecen un modelo a seguir y les brindan una cosmovisión, un sistema de valores y una filosofía; en suma, les brindan el sexo como una religión de consumo.

Un fenómeno antiguo

Este no es un fenómeno exclusivamente moderno. Desde la antigüedad ha habido pueblos que degradaron su condición, desviando su mirada de los valores espirituales para dar rienda suelta a sus impulsos y pasiones.

En varias etapas de la historia encontramos esta actitud. El libro bíblico de Jueces narra que poco después que el pueblo de Israel entró en la tierra prometida, y luego de la muerte de Moisés y Josué, sus grandes dirigentes espirituales, "los hijos de Israel hicieron lo malo ante los ojos de Jehová, y sirvieron a los baales. Dejaron a Jehová el Dios de sus padres, que los había sacado de la tierra de Egipto, y se fueron tras otros dioses, los dioses de los pueblos que estaban en sus alrededores, a los cuales adoraron y provocaron a ira a Jehová. Y dejaron a Jehová y adoraron a Baal y a Astarot" (Jueces 2:11-13).

Cuando leemos el pasaje en forma directa, no se indica claramente cuáles fueron los motivos que ocasionaron semejante descarrilamiento en la conducta del pueblo de Dios. Sin embargo, una versión dice que "se prostituyeron", y el original hebreo reafirma ese sentido. Y todo queda claro cuando se analiza en la historia quiénes eran Baal y Astarot. Estas divinidades paganas tenían formas rituales que involucraban la relación sexual.

Es interesante observar que en el Antiguo Testamento se presenta varias veces la expresión "los lugares altos" o *masheboths*, que eran lugares dedicados a los cultos fálicos, en los que se practicaba el sexo como forma de adoración. En el Nuevo Testamento varios comentadores insisten que entre los grandes problemas que afectaban a la comunidad de Corinto se encontraban los cultos degradantes que había en esos tiempos.

Un elemento sombrío de todas estas manifestaciones es que esta forma de corrupción de la conducta humana siempre precedió a una catástrofe social, a la paralización del desarrollo intelectual, a la caída y a la desaparición histórica de estos pueblos.

En la actualidad, es un hecho que se han cambiado los valores de la sociedad en que vivimos. Un magnate de la pornografía describió la situación, diciendo: "Se ha abierto una caja de Pandora, y ya no se la puede volver a cerrar".[3]

Esta afirmación del potentado de la industria pornográfica indica que a través de la sociedad ya no será posible ejercer mayores cambios, porque en nombre de la libertad de expresión individual se produjo esta "conquista social".

El único recurso que queda está en el campo de la elección personal.

Esta condición de degradación y de alejamiento de los mandamientos del Creador es la que llegó a paralizar al pueblo de Dios en los tiempos del profeta Elías. Entonces, el profeta convocó al pueblo en el Monte Carmelo y los puso en la encrucijada de la decisión. La única forma en la que podían librarse del mal y sus consecuencias era realizando una elección correcta: "Y acercándose Elías a todo el pueblo, dijo: ¿Hasta cuándo claudicaréis vosotros entre dos pensamientos? Si Jehová es Dios, seguidle; y si Baal, id en pos de él" (1 Reyes 18:21).

Elegir bien

Es común escuchar a los adultos decirles a los jóvenes que hay tres decisiones fundamentales en la vida, y que esas tres decisiones deben ser hechas en un tiempo cuando una persona no cuenta con mucha experiencia. Estas decisiones son: La elección de la fe, la elección de la vocación y la elección del compañero de la vida. Sin duda, éstas son tres decisiones fundamentales. Cuando de jóvenes no tenemos la suficiente sabiduría como para tomar buenas decisiones, entonces las consecuencias de los errores pueden acompañarnos por el resto de la vida.

Tomar decisiones correctas en un mundo complejo requiere reflexión y análisis cuidadoso. ¿Cómo elegimos el curso de acción que tomamos? Muchas veces tomar una decisión correcta puede hacer que muchas personas se incomoden. Es necesario entender que actuar en forma correcta no contará siempre con el favor de las mayorías. Lo correcto no necesariamente armoniza con la aprobación de los sondeos de opinión.

En su obra *Choices* [Elecciones], Smedes opina que en el proceso de la toma de decisiones siempre es necesario respetar reglas. Se refiere a reglas morales. Indica que una regla moral siempre nos dice qué debemos hacer; es una norma que nos demuestra antes de tiempo cómo actuar, y es una declaración que nos señala si algo que hicimos es correcto o no.[4]

La realidad es que cada contexto social en el que nos desenvolvemos tiene normas. Las hay en el colegio, en el trabajo, en la ciudad, en el municipio o barrio en que vivimos, en el correo, en las rutas por las que viajamos, en nuestra familia, en las relaciones humanas, en los restaurantes. El automóvil que manejamos funciona siguiendo reglas bien establecidas. En ciertas instituciones, las reglas tienen consecuencias de vida o muerte, como lo son las que rigen a un cirujano, o las que con frecuencia confrontan quienes trabajan en emergencias.

A diario nos manejamos respetando esas reglas. Por ejemplo, si bien le ponemos determinado combustible al tanque de nuestro automóvil, no se nos ocurre ponernos la boquilla de la gasolina en la boca. Nuestro organismo tiene reglas. Y es sabio respetarlas. Y el respeto de las reglas tiene normalmente consecuencias positivas.

El Dios que nos creó se complace en vernos elegir bien: "A los cielos y a la tierra llamo por testigos hoy contra vosotros, que os he puesto delante la vida y la muerte, la bendición y la maldición; escoge, pues, la vida, para que vivas tú y tu descendencia; amando a Jehová tu Dios, atendiendo a su voz, y siguiéndole a él; porque él es vida para ti, y prolongación de tus días; a fin de que habites sobre la tierra que juró Jehová a tus padres" (Deuteronomio 30:19-20).

Ante la presión cultural

A lo largo de la historia, los creyentes genuinos debieron tomar decisiones en forma individual en relación con la cultura. Sus vidas fueron modeladas por decisiones que tomaron a través de la reflexión, de la oración y de la inspiración de la Palabra de Dios.

Este fue el caso de Daniel y de los jóvenes hebreos, quienes no permitieron que la cultura babilónica, a través de las presiones de pares y superiores, modificara el estilo de vida y las convicciones religiosas que abrigaban desde su juventud. Manifestaron sabiduría y sentido común al vivir en una cultura diferente y no permitir que se modificaran los aspectos fundamentales de sus vidas.

Esos tiempos no eran fáciles. Todas las fuentes desde donde habían nutrido sus principios guiadores fueron destruidas. Jerusalén estaba en ruinas, también el templo, y además habían perdido a sus familiares. Estaban en Babilonia, y bien podía haberse manifestado en ellos el "Síndrome de Estocolmo", por el que las personas secuestradas llegan a identificarse y hasta entablar lazos de afecto con sus captores.

La fe de Daniel y los tres jóvenes hebreos fue una fe en crecimiento. Es interesante notar que primero fueron probados en sus apetitos, al igual que Eva en el Jardín del Edén. La Biblia indica que "Daniel propuso en su corazón no contaminarse con la porción de la comida del rey, ni con el vino que él bebía; pidió... que no se le obligase a contaminarse" (Daniel 1:8). Hubo una encrucijada. Tomaron una decisión en armonía con la voluntad de Dios y salieron victoriosos.

En el siguiente capítulo, el rey Nabucodonosor tuvo un sueño y reclamó que los asesores científicos le dijeran qué había soñado y le ofrecieran su interpretación. Luego de muchos vaivenes, al ver la ineficiencia de los consultados, el rey montó en ira y les dijo que si nadie lo hacía, todo ese grupo de asesores reales, entre los que estaban Daniel y sus amigos, serían ejecutados.

Daniel y sus amigos se encontraron nuevamente ante otra encrucijada. Era más difícil y compleja. De hecho, sabían que la respuesta que se reclamaba de ellos no estaba al alcance normal de ningún ser humano. Sin embargo, eso no significaba que nadie lo supiera, y así decidieron hablar con Uno que todo lo sabe: "El misterio que el rey demanda, ni sabios, ni astrólogos, ni magos ni adivinos lo pueden revelar al rey. Pero hay un Dios en los cielos, el cual revela los misterios, y él ha hecho saber al rey Nabucodonosor lo que ha de acontecer en los postreros días. He aquí tu sueño, y las visiones que has tenido en tu cama" (Daniel 2:27, 28). Gradualmente, Daniel expuso ante el rey todos los elementos que Dios le había revelado.

Recordemos siempre que hay un Dios en los cielos, al cual podemos recurrir a través de la oración.

En el siguiente capítulo se plantea toda la fuerza de la presión cultural que podamos imaginar. Nabucodonosor convocó a la nación a presentar un "voto de lealtad" a su gobierno en la llanura de Dura.

El momento principal de la ceremonia consistía en que, al sonido de una orquesta, todos los asistentes se arrodillaran ante una gran imagen que representaba al rey. Luego de las instrucciones, la orquesta hizo sonar sus acordes, pero había un grupo, si se lo puede llamar así, conformado por "tres varones" que decidieron no adorar la estatua de oro que Nabucodonosor había eregido (ver Daniel 3:12, 13).

El rey los convocó y requirió la razón del comportamiento de ellos, pues estaba reservado un castigo para cualquiera que trasgrediera las normas establecidas en el ceremonial. Ese castigo consistía en ser arrojados en un horno ardiente preparado especialmente para esa ocasión.

Ahora, el monarca escuchó una respuesta: "No es necesario que te respondamos sobre este asunto. He aquí nuestro Dios a quien servimos puede librarnos del horno de fuego ardiendo; y de tu mano, oh rey, nos librará. Y si no, sepas, oh rey, que no serviremos a tus dioses, ni tampoco adoraremos la estatua que has levantado" (Daniel 3: 16-18).

Y aquí estamos ante la valentía que proviene de la fe. La respuesta es directa, clara, carente de ambigüedades. El Dios al que adoran estos jóvenes está por encima de todo. Se sabía que no eran ellos los rebeldes. Aunque ése no era el caso, y si bien las circunstancias desviaron los hechos en esa dirección, entendían que la fe que tenían era algo incuestionable, el supremo valor de sus vidas. Mientras la música de la orquesta sonaba en sus oídos, resonaba con mayor fuerza en sus mentes la voz de la Palabra inculcada en los mandamientos que guiaban las decisiones fundamentales de sus vidas: "No te inclinarás a ellas, ni las honrarás; porque yo soy Jehová tu Dios" (Éxodo 20:5).

¿Podía Dios librarlos? ¿Querría Dios librarlos? No dudaban del poder de Dios. Conocían la voluntad divina. Y lo que Dios hubiera de hacer estaba sólo en su designio.

Por eso, dicen "Dios... nos librará". Finalmente, en la resurrección Dios ha de librarnos definitivamente, si ponemos cada día nuestras vidas en sus manos. Pero, ¿y si no? ¿Vamos a claudicar? No. De ninguna manera.

Una decisión de tal magnitud debe tomarse siempre del lado de la voluntad divina. Tiene el potencial siempre de ser la última decisión que tomemos en la vida.

¿Quién gobierna nuestro mundo? ¿Quién gobierna nuestro mundo interior? Todas nuestras elecciones que orientan la formación de nuestras convicciones debieran tomar en cuenta que vivimos en medio de un conflicto de los siglos. Un conflicto en el cual las fuerzas del mal atropellan los valores e impulsan procesos de desviación cultural, que degradan los valores sociales y espirituales. Influencias que paralizan la mente y destruyen las vidas de muchos jóvenes y adultos, que destrozan y hacen añicos la reputación y el honor de las personas. Así las fuerzas del mal ganan espacio en la cultura en que nos movemos.

Debemos tomar la decisión de alejarnos de estos dioses culturales que corrompen, cueste lo que costare. "Guarda mi alma, y líbrame; no sea yo avergonzado, porque en ti confié. Integridad y rectitud me guarden, porque en ti he esperado" (Salmos 25:20, 21).

Hagamos nuestro el sentir de los valientes jóvenes hebreos: "No es necesario que te respondamos sobre este asunto. He aquí nuestro Dios a quien servimos puede librarnos del horno de fuego ardiendo; y de tu mano, oh rey, nos librará. Y si no, sepas, oh rey, que no serviremos a tus dioses" (Daniel 3:16-18).

Referencias bibliográficas

1. Read Mercer Schuchardt. "Hugh Hefner Hollow Victory", *Christianity Today* (December 2003, tomo 47, Nº 12), p. 50.

2. Hayley Dimarco. *Sexy Girls: How Hot is too Hot?* (Grand Rapids, Michigan: Fleming H. Revell, 2006), p. 11

3. Read Mercer Schuchardt. "Hugh Hefner Hollow Victory", *Christianity Today* (Diciembre 2003, Vol. 47, No 12), p. 50.

4. Lewis B. Smedes. *Choices: Making Right Decisions in a Complex World* (San Francisco, California; HarperCollins Publishers, 1986), pp. 48-51.

Para reflexionar

1. ¿Qué es la "presión de los pares" (peer pressure*)? ¿Se manifiesta esta presión en el plano religioso? ¿Cómo? ¿De qué manera nos afecta? (2 Pedro 3:3, 4).*

2. En el tiempo bíblico de "los Jueces", ¿cuál fue uno de los factores que hizo que los israelitas abandonaran a Dios y adoraran a los baales? ¿En qué forma esas motivaciones se encuentran hoy en los productos culturales de consumo? (Jueces 2:11-13).

3. Diariamente debemos elegir, y es vital elegir bien. ¿Qué factores integran una buena elección? (Deuteronomio 30:19, 20). ¿Qué decisiones clave debieron tomar Daniel y los jóvenes hebreos en su juventud? (Daniel 1:8-15; Daniel 2:15-20; Daniel 3:10-18).

4. En el Monte Carmelo, el profeta Elías invitó al pueblo a tomar una decisión. ¿Por qué se alejaron de Dios? ¿Enfrentamos un problema semejante en nuestros días? ¿Qué debemos hacer? (1 Reyes 18:20-22).

Capítulo 9

Cómo alcanzar la libertad

A lo largo de este pequeño libro hemos mencionado que la mente del hombre contemporáneo está asediada y embelesada por la cultura. Hay quienes se han hecho adictos a las cosas e ideas impulsadas por ésta. Resulta imposible evitar que el mundo y sus costumbres se nos acerquen e influyan en nosotros, pues la cultura interconecta todo el marco dentro del cual perciben nuestros sentidos. Las manifestaciones de la cultura son táctiles, visibles, audibles, perceptibles y algunas golpean furiosamente nuestros sentidos, transmitiendo algunas sensaciones que pueden ser placenteras.

Lo que el mundo ofrece no exige fe. El mundo que nos rodea es una vasta estructura poderosa y universal que envuelve todo y penetra todo. Es la pantalla, el escenario y la banda de sonido diarios en que nos movemos, nos comunicamos y donde transcurre nuestra existencia. Es la realidad, y también la ficción, que llega a nuestra mente, y tiene el poder de modificar el pensamiento, el lenguaje y el estilo de vida.

Los que manejan los hilos de la cultura del consumo a través de la publicidad idean métodos que nos invitan a apetecer cosas, a la vez que tienen la esmerada preocupación de no sólo fabricar esos deseos sino también los productos que los satisfagan. Están muy interesados en nosotros y han llegado a medir acertadamente lo que nos gusta... y de eso viven. Nos hemos acostumbrado tanto a esto, que consideramos que son manifestaciones normales.

Es innegable que la atmósfera de la cultura atrapa y transforma. Los expertos en medios masivos de comunicación social sostienen que todo lo que cruza el umbral de acceso a nuestra mente (mediante la radio, la televisión, las películas, la publicidad, Internet, etc.) tiene propiedades modificadoras. Los pensamientos y los actos que creemos que son nuestros, en realidad son una respuesta a la información programada y destinada a llegar más allá de las barreras personales. A la postre, esos mensajes llegan a nuestra mente.

En nombre de la libertad se ha creado una industria de lavado de cerebro, con la que nos "conectamos" diariamente. Nuestro mundo está plagado de ruido, dolor, depresión, angustia, incertidumbre, violencia, sexo, guerra y muerte. La realidad es pavorosa, por eso nos conectamos con la ilusión y la fantasía como placebos, para aplacar la sofocación provocada por la realidad. Los publicistas conocen el valor de la repetición, y por esta razón repiten, repiten y repiten incesantemente sus eslóganes publicitarios, cubriendo todo espacio visual disponible.

Se dice que la gran muralla China es una de las maravillas del mundo, con más de dos mil kilómetros de extensión. Se construyó para proteger a China de posibles invasores. Sin embargo, aunque era una defensa formidable, sucumbió en tres oportunidades; lo curioso es que en ninguna ocasión cayó ante un asalto directo, sino porque sus guardias se descuidaron. La voluntad es uno de los guardianes del alma, y los ataques de la cultura pueden debilitarla. En caso de que esto sea así, es necesario volver a fortalecerla.

La transformación por la contemplación

Una autora cristiana ha dicho: "Es una ley del espíritu humano convertirnos en lo que contemplamos".* Y esta afirmación tiene extremos opuestos: por un lado, es positiva; por otro, negativa.

Una alegoría titulada "El gran rostro de piedra" se refiere a un imaginario grupo de rocas de Nueva Inglaterra, Estados Unidos, que bajo los efectos lumínicos del sol da la apariencia de un rostro majestuoso. La gente que vive cerca de esa maravilla natural, según la alegoría, ha mantenido la tradición de que algún día habría de aparecer un hombre cuyas facciones reflejaran la misma fortaleza de carácter, la misma personalidad noble del rostro esculpido en la piedra.

La alegoría dice que una noche, un joven escuchó que su madre refería esa añeja tradición y quedó vivamente impresionado. En los días, meses y años que siguieron, el joven dedicó tiempo cada día a contemplar el rostro que se dibujaba en la ladera de la montaña. Se preguntaba cuándo aparecería el hombre del relato.

Los años pasaron y él creció. En todo ese tiempo intentó desarrollar en su vida las cualidades y virtudes que parecía contemplar en el rostro pétreo de la falda del monte. Un día, un poeta atinó a pasar por el lugar y con sorpresa notó que el rostro que se dibujaba en la montaña era semejante al del anciano. Se había producido, según la alegoría, la transformación por la contemplación.

¿Fantasía? ¿Despliegue de imaginación? Más allá de la perspectiva crítica, hay una realidad involucrada: la contemplación transforma.

A lo largo de los siglos, miles de personas fueron transformadas positivamente cuando pusieron delante de sí ideales de bien. En un lapso menor a los doscientos años, los pueblos que rodeaban el Mediterráneo aceptaron el mensaje cristiano, y así transformaron su modo de pensar y, en consecuencia, su estilo de vida. La lectura y el modelo de vidas ejemplares hicieron que algunas personas asumieran una nueva vocación al considerar el valor de la vida y la importancia del servicio. Es innegable que la vida de Nuestro Señor Jesucristo, más allá de todo matiz de interpretación, hizo que muchas personas adoptaran su pensamiento, sus valores, sus criterios y se alimentaran mentalmente de la esperanza de una vida mejor.

Pero toda ley tiene su contrario: La contemplación nos transforma para bien o para mal. Hace algunos años las crónicas de los periódicos dieron cuenta del caso de un niño que se arrojó desde un edificio y se mató. En principio todo parecía un lamentable accidente. Sin embargo, las investigaciones arrojaron luz sobre este hecho. El niño era un "teleadicto" que seguía con atención las series televisivas de Superman. El contacto permanente con ese mundo fantasioso hizo que no pudiera diferenciar la ficción de la realidad. Y la pérdida de ese sentido hizo que diera un traspié fatal.

En ese mismo ámbito encaja toda una cadena de problemas que sufre nuestra sociedad. No ocurren accidentes aislados. Dentro de esta perspectiva están los asesinatos inspirados por ciertas canciones populares; están los jóvenes que motivados por algunas letras de las canciones de *rap* ponen énfasis en el sexo, la violencia, el terror, y encuentran placer en el desenfreno, la conducta antisocial y en un estilo de vida decadente. Todo alimentado por una visión abúlica y despreocupada de la vida, que los seduce, los transforma en drogadictos y en títeres de multinacionales de la corrupción, que viven bajo la sombra del vicio con el que trafican.

¿Qué podemos hacer? ¿Qué actitud adoptar ante la sociedad que nos rodea? Esos son los interrogantes que en cierta medida nos unen y dividen. Las respuestas que se den a estas preguntas determinarán la distancia que existe entre una forma de vida y otra. Unos sucumben ante la cultura y su influencia, en tanto que otros adoptan criterios de vida tan marcadamente opuestos, que por su radicalidad son considerados casi insociables.

La futilidad del mundo

El apóstol Juan escribió: "No améis al mundo, ni las cosas que están en el mundo. Si alguno ama al mundo, el amor del Padre no está en él. Porque todo lo que hay en el mundo, los deseos de la carne, los deseos de los ojos, y la vanagloria de la vida, no proviene del Padre, sino del mundo. Y el mundo pasa, y sus deseos; pero el que hace la voluntad de Dios permanece para siempre" (1 Juan 2:15-

17). Es posible que este texto se esté refiriendo a una sociedad organizada sobre principios injustos, caracterizada por los bajos deseos, los valores falsos y el culto a la personalidad egoísta y a la búsqueda de placeres.

El mayor peligro para un creyente cristiano es adoptar el criterio de vida del mundo. De este modo, la iglesia y el mundo se fundirían en una misma cosa; y los ideales y la visión del mundo serían adoptados por la iglesia. A esa altura, el cristiano ya no viviría en un estado de tensión ni de paradoja, pues sólo habría una iglesia seducida y sometida en su esencia, que apenas lograría mantener una vida exterior. Sería como una cáscara sin contenido. Sería una sal sin sabor, una luz que ya no alumbra. Y en esa condición estaría su fin. Al perder su visión, la iglesia miraría sólo la realidad concreta, inmediata, pero pasajera, porque "el mundo pasa".

Cuando Jesús pronunció su conocida oración intercesora, dijo: "No ruego que los quites del mundo, sino que los guardes del mal" (S. Juan 17:15). ¿Qué quiso decir? ¿*Estar* en el mundo, sin *ser* del mundo?

En la Escritura encontramos varias dimensiones de "mundo". "Mundo" es nuestro planeta que sirve de sustento físico al plan salvador del Cielo (S. Juan 1:9); "mundo" es el conjunto de individuos que son objeto del amor del Padre por el que envió a Cristo a darnos redención (S. Juan 3:16); y "mundo" también es la cultura que vive al margen de los criterios celestiales, distanciada del pensamiento de Cristo (1 Juan 2:17). ¿Cómo podemos reconciliar estos elementos?

La realidad es que hay un solo mundo. Un único mundo creado por Dios, que fue afectado por el pecado. Desde antes de la entrada del pecado, ese mundo era objeto del amor divino. Y lo sigue siendo después, aunque, en este "después" el objetivo divino es su restauración a la condición original. Desde esta perspectiva, "mundo" en la oración de Cristo es toda la red de relaciones humanas que están alejadas de la voluntad divina revelada en la Escritura.

Esta oración del Señor tiene una doble dimensión de advertencia y responsabilidad. El mundo necesita de la presencia de los creyentes. Los seguidores del Señor son los instrumentos que Dios tiene para cumplir el propósito de transmitir la luz del Cielo. Y, por otra parte, los seguidores del Señor necesitan del mundo, pues es el aula y el laboratorio que les da la dimensión y la visión que necesitan. Es el teatro real donde pueden ejercer su libre albedrío para el bien. Y esto inaugura una tensión entre la cultura real y la ideal, entre la realidad con la que se enfrenta cada día el creyente y sus valores que emanan de la fe en Dios. En este mundo, el creyente debe obrar y hacer sentir su presencia; como dijo Jesús, debe realizar su vocación de ser "la sal de la tierra".

En el principio, la Biblia dice: "Y los bendijo Dios y les dijo: Fructificad y multiplicaos; llenad la tierra, y *sojuzgadla*, y señoread en los peces del mar, en las aves de los cielos, y en todas las bestias que se mueven sobre la tierra" (Génesis 1:28; la letra cursiva es nuestra).

La versión bíblica que aquí utilizo dice "sojuzgad". Otras versiones indican "cultivadla". Por esta razón, hay quienes hablan del "mandato cultural" divino que se presenta aquí. Dios nos creó con la capacidad de atender y cuidar la creación de Dios, y eso es "hacer cultura". Dios ordenó a los seres humanos en la creación que generaran las características de la primera sociedad. El ser humano ha de rendir cuentas a Dios por el cuidado y el cultivo de la vida humana, y por la administración del potencial de vida del planeta.

Los seres humanos creados a imagen y semejanza de Dios estaban destinados a "señorear", en el sentido de servir como administradores de parte de Dios sobre la tierra. Incluso la idea de redención implica la restauración de acuerdo al plan original diseñado por Dios para el mundo que ama.

Paradójicamente, este universo cultural que nos envuelve ha paralizado en nosotros las iniciativas ordenadas por Dios, y nos ha hecho "espectadores" dentro de un mundo legado por Dios para que lo cultivemos. El cultivo de la cultura implica el desarrollo de las artes (literatura, poesías, música, etc.) y de la ciencia. Es el mundo el que debe recibir nuestra influencia, y no nosotros la del mundo.

Esa es la razón del empobrecimiento cultural que nos rodea. Todo cristiano tiene que entender que "sojuzgar la tierra" y "señorear en ella" implican el cuidado del medio, no su destrucción. Es el cultivo de los dones que tenemos. El cristiano es la "sal de la tierra" (S. Mateo 5:13), "la luz del mundo" (vers. 14). Por esta razón, el Señor les dijo a sus discípulos: "Id, y haced discípulos a todas las naciones" (S. Mateo 28:19, 20). Y les pidió en su último encuentro que fueran sus testigos "en Jerusalén, en toda Judea, en Samaria, y hasta lo último de la tierra" (Hechos 1:8).

Este es el sentido de la expresión "no ruego que los quites del mundo". El cristiano tiene la responsabilidad de "recultivar" a una cultura que ha perdido los nutrientes y la savia de la vida.

Se cuenta que en cierta ocasión Sócrates caminaba junto con sus discípulos por una zona portuaria. De pronto, él y sus seguidores se encontraron envueltos por las voces de los comerciantes orientales que ofrecían sus mercancías. El aire estaba lleno de los murmullos de la oferta y la demanda. Muchos buscaban telas, vasijas, joyas y especias del Oriente. Muy pronto, los discípulos de Sócrates se vieron atrapados y seducidos por esa atmósfera materialista que los invitaba a obtener cosas para alcanzar bienestar. Sócrates contempló a sus discípulos, vio sus ojos que brillaban deleitados al contemplar las exquisitas telas y mercancías, y sus palabras tuvieron la propiedad de romper el conjuro que se había establecido. Les dijo: "¡Cuántas cosas tiene el mundo que yo no necesito!"

La identidad del cristiano

Umberto Eco, el semiólogo italiano, en su obra *Apocalípticos e integrados*, define como "integrados" a quienes son dominados por la cultura que los envuelve; en tanto que se vale del vocablo "apocalípticos" para describir a los que tienen el valor de resistir esta influencia, es decir, disentir con esa influencia y asumir una identidad diferente a la que impone la cultura.

¿Cuál es la postura del cristianismo ante la cultura contemporánea? ¿Es el creyente un individuo "apocalíptico", un disidente de la cultura, o es un "integrado" al sistema, es decir una persona "encantada" con el estilo de vida de la sociedad en la que vive? ¿Es una persona seducida por las imágenes de la televisión, que lo llevan a sacrificar el tiempo destinado a sus actividades religiosas? ¿Acaso la música asaltó su mente y lo aprisionó en sus sonidos? ¿Es un esclavo de la publicidad? ¿Vive cautivado por la pornografía? ¿Lo arrastró el mensaje del ocultismo? ¿Vive bajo el influjo hechizante de la cultura que lo envuelve? O por el contrario, ¿ha podido mantener su identidad en medio de la corriente del pensamiento actual? ¿Conserva sus ideas dentro de un contexto intelectual opositor? ¿Continúa comprometido con sus convicciones?

Es evidente que todo cristiano vive en medio de una permanente tensión y se nutre de ella. En cierto sentido, esa tensión entre el mundo real y el mundo ideal es la que alimenta su conducta, y la que hace que el creyente sea como un equilibrista sobre la cuerda de la vida. Constantemente necesita fijar sus ojos en su objetivo y nada debe alterar su visión. Requiere confianza propia y una enorme dependencia de su objetivo. Cada paso que da es una manifestación de fe inquebrantable en el poder y el amor de Dios.

El creyente vive con los pies afirmados en tierra y con sus ojos puestos en el cielo. Esa misma tensión en la que vive genera su condición conflictiva. Por un lado, el cristiano participa de las cosas comunes de la vida, pero a la vez tiene una actitud crítica hacia el mundo y sus valores.

El cristiano genuino es consciente del riesgo. Pero en su vida de tensión entre dos mundos no tiene más remedio que correr riesgos. Para el creyente, negar el riesgo y la tensión es como negar la vida. Sería como si un trapecista afirmase que no hay peligro en el salto mortal que debe dar cada noche. El riesgo, el equilibrio y la tensión conforman el entorno permanente de la vida cristiana.

Lo genuino del creyente se manifiesta y agiganta en esa tensión a través del compromiso, porque sus ideales no son del mundo, sino que es capaz de transmitir al mundo ideales nuevos, sustentados en la Palabra divina. Esa responsabilidad hace que su pureza y lo genuino de sus actos se manifiesten en la forma que transmite su convicción; el creyente es un individuo consciente del libre albedrío que determina la conducta de cada ser humano. Nunca podrá ser un manipulador. Y tampoco será objeto de la manipulación, sino que será un ser liberador en el mundo; será como la sal de la tierra, como la luz del mundo.

La libertad en la verdad

En uno de sus mensajes más conocidos, el Señor Jesucristo dijo: "Si vosotros permaneciereis en mi palabra, seréis verdaderamente mis discípulos; y conoceréis la verdad, y la verdad os hará libres" (S. Juan 8:31, 32). En este texto aparece con total nitidez la condición para ser libre: el "estar en" es necesario para ser libre "de". La condición de estar "en la Palabra" es la que desencadena todo el proceso de la verdadera liberación.

En este texto no está en juego un mensaje de liberación de tipo político o social, sino una liberación de raíces más profundas. Si bien socialmente las personas que escucharon este mensaje estaban sometidas a Roma, padecían un mal mayor: eran esclavos espirituales. Las mentes de los judíos del tiempo de Cristo estaban sometidas al asalto de las tradiciones. Eran cautivos de las palabras que habían sido transmitidas de una generación a otra y compiladas en el *Talmud*. Los judíos permanecían en sus tradiciones, pero habían abandonado la Palabra. Esa condición les impedía ver objetivamente la realidad. Como esclavos de sus propias tradiciones, sólo tenían una visión muy estrecha.

Necesitaban dar un salto que involucraba abandonar las tradiciones y aceptar permanecer en la Palabra. Al hacer esto encontrarían el verdadero conocimiento.

La concepción del conocimiento al que Jesús se refirió trascendía la mera acumulación de información. En esos tiempos, en Israel se podían encontrar a los *tannain*, término hebreo que designaba a sabios que eran verdaderas bibliotecas ambulantes, algunos de ellos eran capaces de recitar de memoria el Antiguo Testamento en forma completa. Pero el conocimiento del que hablaba Jesús era algo superior. Involucraba el conocimiento de la Palabra viva.

El concepto de este conocimiento tiene su raíz en el Antiguo Testamento. Es un conocimiento vivencial, dinámico, personal, que surge de una experiencia permanente con una persona, objeto o idea. Involucra el tipo de saber que brota de una relación. De ahí que en la afirmación de Cristo hay una invitación a establecer una relación personal con él.

Él les dijo: "Conoceréis la verdad y la verdad os hará libres" (S. Juan 8:32). Y también declaró: "Yo soy el camino, y la verdad, y la vida" (S. Juan 14:6).

Conocer la verdad es conocer a Cristo y permanecer en Cristo. Y conocer a Cristo es mantener una relación permanente y diaria con él.

¿Quieres un consejo? Libérate.

¿Cómo? Lee las indicaciones de la siguiente página.

Pasos a seguir

* Si has sido cautivo de alguna adicción, abandona ese estilo de vida (Hechos 3:19-20).

* Arrepiéntete y abandona el pecado (Hechos 3:19). Acepta a la Biblia como la única regla de fe y práctica en tu vida (2 Timoteo 3: 16, 17).

* Haz de Cristo el modelo de tu vida personal en todas tus decisiones (1 Pedro 2:21).

* Pon tu vida en armonía con los mandamientos divinos (Éxodo 20; 1 Juan 2:3).

* Observa el sábado como lo hacía Jesús (S. Marcos 1:21; S. Lucas 4:16).

* Colabora en la iglesia de Dios con tus dones (1 Corintios 12:28-31).

* Prepárate para encontrarte con tu Dios (S. Mateo 23; 1 Tesalonicenses 4:15-18).

* Alégrate en tu decisión y comunícala a otros (S. Mateo 28:19).

* Únete a los verdaderos seguidores de Jesús (S. Mateo 9: 9).

* Asiste a la iglesia y predica este mensaje (Levítico 27: 30; 1 Corintios 16: 2).

Referencia bibliográfica

*Elena de White. *Patriarcas y profetas* (Buenos Aires, Asociación Casa Editora Sudamericana, 1987), p. 79.

Para reflexionar

1. Jesús dijo: "no ruego que los quites del mundo, sino que los guardes del mal". ¿Por qué es importante la presencia del cristiano en el mundo? ¿Qué debemos hacer? (S. Juan 17:15; S. Mateo 28:19, 20).

2. ¿Qué involucra el "mandato cultural" de Génesis 1:28? Si los valores que tiene el cristiano son importantes, ¿no cree que también son importantes para el mundo? ¿Cómo puede el creyente dejar de ser "espectador" y "receptor" de la cultura, para ser "actor" y "difusor" de las ideas cristianas en el mundo? (Hechos 1:8).

3. La Biblia dice en Apocalipsis que su pueblo fiel, "guarda los mandamientos de Dios y tiene la fe de Jesús". ¿No sería maravilloso unirse a ese pueblo? (Apocalipsis 12:17).

4. ¿Qué es conocer la verdad y vivir en la verdad? ¿No cree que es importante tomar una decisión que transforme definitivamente nuestra vida? (S. Juan 17:3).

Si después de reflexionar en estas preguntas, usted siente que debe tomar una decisión por Cristo y su verdad, trate de contactarse con alguna de las iglesias cuyas direcciones aparecen más adelante.

"Si oyereis hoy su voz, no endurezcáis vuestros corazones" Hebreos 4:7.

UNA INVITACIÓN PARA USTED

Si este libro ha sido de su agrado, si los temas presentados le han resultado útiles, lo invitamos a seguir explorando los principios divinos para una vida provechosa y feliz. Hay miles de congregaciones alrededor del mundo que comparten estas ideas y estarían gustosas de recibirle en sus reuniones. La Iglesia Adventista del Séptimo Día es una iglesia cristiana que espera el regreso del Señor Jesucristo y se reúne cada sábado para estudiar su Palabra.

En los Estados Unidos, puede llamar a la oficina regional de su zona o escribir a las oficinas de la Pacific Press para recibir mayor información sobre la congregación más cercana a usted. En Internet puede encontrar la página de la sede mundial de la Iglesia Adventista en www.adventist.org.

OFICINAS REGIONALES

UNIÓN DEL ATLÁNTICO
400 Main Street
South Lancaster, MA 01561-1189
Tel. 978/368-8333

UNIÓN DE CANADÁ
1148 King Street East
Oshawa, Ontario L1H 1H8
Canadá
Tel. 905/433-0011

UNIÓN DE COLUMBIA
5427 Twin Knolls Road

Columbia, MD 21045
Tel. 410/997-3414 (Baltimore, MD)
Tel. 301/596-0800 (Washington, DC)

UNIÓN DEL LAGO
8903 US 31
Berrien Springs, MI 49103-1629
Tel. 269/473-8200

UNIÓN DEL CENTRO
8307 Pine Lake Road
Lincoln, NE 68516
Tel. 402/484-3000

UNION DEL NORTE DEL PACÍFICO
1498 S. E. Tech Center Place, Ste. 300
Vancouver, WA 98683-5509
Tel. 360/816-1400

UNIÓN DEL PACÍFICO
2686 Townsgate Road
Westlake Village, CA 91361
Tel. 805/497-9457

UNIÓN DEL SUR
3978 Memorial Drive
Decatur, GA 30032
Tel. 404/299-1832

UNIÓN DEL SUROESTE
777 South Burleson Boulevard
Burleson, TX 76028
Tel. 817/295-0476

Apéndice

En esta obra hemos mostrado cómo los medios masivos de comunicación pueden llegar a vulnerar las defensas de nuestra mente, poniendo en riesgo tanto nuestra salud mental como nuestra vida espiritual. Como dijimos en la introducción, nuestra familia corre peligro. Todos corremos el riesgo de ver destruida nuestra fe en Dios, el cimiento sobre el cual construimos nuestra casa, y de ver disuelta la esperanza y la seguridad de la salvación. Por eso es tan importante saber cómo protegernos de los ataques del enemigo de las almas. A continuación ofrecemos una serie de verdades bíblicas que revelan la voluntad de Dios para el hombre, y que pueden ser un baluarte firme a la hora de defendernos de los ataques del maligno.

16 VERDADES VITALES PARA LA FELICIDAD Y LA SALVACIÓN

1. La inspiración de las Sagradas Escrituras es fundamento de nuestra seguridad en materia religiosa, y convierte ese maravilloso libro en la norma suprema de nuestra fe y la pauta de

nuestra vida. Ella es completa en sí misma, y no necesita ningún agregado. Cuando San Pablo dice que "toda Escritura es inspirada por Dios", agrega que es "útil para enseñar, para redargüir, para corregir, para instruir en justicia, a fin de que el hombre de Dios sea perfecto, enteramente preparado para toda buena obra" (2 Timoteo 3:16, 17). El obedecer sus preceptos e identificarnos con ella nos permitirá colocarnos a cubierto de todos los peligros y rechazar con éxito todos los ataques del enemigo, como lo hizo nuestro Señor cuando respondía a toda tentación con un "Escrito está" (S. Mateo 4).

2. Las tres personas que integran la Divinidad son el Padre, el Hijo y el Espíritu Santo. Cada una de ellas es divina, y es una persona en sí, y las tres constituyen una unidad perfecta. Piensan, planean y actúan en absoluta y perfecta consonancia (S. Mateo 28:19; S. Juan 17:21, 22; 16:7, 13, 14). El misterio de su unidad, armonía e interdependencia, dentro de su individualidad, nunca será abarcado en la tierra por la mente finita del hombre.

3. Dios es el creador de todo cuanto existe (Génesis 1). He aquí algunas de sus notables características:

Tiene vida en sí, porque es el autor de la vida (S. Juan 5:26).

Es un Dios personal, y a la vez omnipresente (Salmo 139:7-12).

Es Todopoderoso (S. Mateo 19:26).

Aunque está en todas partes, el Creador está por encima y es diferente de la criatura, por ello la Biblia rechaza el error panteísta de hacer de los seres y las cosas parte de Dios (Romanos 1:21-23).

Dios es amor, y por esto dio por el hombre lo mejor que tenía, a su Hijo Jesús (1 Juan 4:8, 9; S. Juan 3:16).

Es justo, pero compasivo y bondadoso (Salmo 129:4; Nehemías 9:31).

4. Jesucristo es el Hijo de Dios, el personaje central de las Escrituras, y la única y gran esperanza del hombre.

Es tan divino y eterno como Dios mismo (1 Juan 5:20; S. Juan 1:1-3).

Tiene vida en sí mismo como el Padre (S. Juan 10:28; 5:26).

Junto con el Padre, es el creador de todo cuanto existe (Hebreos 1:2; S. Juan 1:1-3).

Se hizo hombre, y fue sometido a toda prueba y tentación de la humanidad (Filipenses 2:6, 7; Hebreos 2:14, 16-18).

Pese a ello, mantuvo un carácter perfecto: nunca pecó (Hebreos 4:15).

Ofreció voluntariamente su vida por la salvación de los hombres (Isaías 53; 1 Pedro 2:24).

Por su vida perfecta y su sacrificio expiatorio llegó a ser nuestro único Salvador (S. Juan 3:16; Hechos 4:12).

Es por ello nuestro Pontífice (Hebreos 8:1-6).

Es nuestro único intercesor ante Dios, nuestro único abogado ante el Padre (1 Timoteo 2:5; 1 Juan 2:1).

5. El Espíritu Santo es la tercera Persona de la Divinidad. Es enviado por Dios como representante del Padre y del Hijo (S. Juan 16:7; 14:26).

Por su mediación, Dios puede morar en el corazón humano al entrar en una relación personal con el hombre

(Salmo 51:11; Romanos 8:9; 1 Corintios 2:11, 12).

Convence al hombre de que ha pecado (S. Juan 16:8).

Opera el nuevo nacimiento (S. Juan 3:5-8; Tito 3:5).

Nos guía a toda verdad; es el único Maestro infalible (S. Juan 16:13; S. Mateo 10:19, 20; S. Juan 14:26).

6. El hombre, creado por Dios, cayó en el pecado y fue redimido por Cristo.

El hombre fue creado a la imagen divina (Génesis 1:26-27).

Dios quería que viviera feliz en el Edén (Génesis 2:8-10).

Mediante la institución del hogar, debía fructificar y multiplicarse para llenar la tierra de seres dichosos (Génesis 1:27, 28 2:24).

Pero el pecado atrajo sobre los hombres la debilidad moral y la muerte (Romanos 3:23; 5:12; 6:23).

Aunque el hombre es incapaz de salvarse a sí mismo, Cristo le ofrece el triunfo sobre el mal (Jeremías 13:23; Romanos 7:24, 25; 1 Corintios 15:27).

El sacrificio vicario de Cristo salva del pecado y otorga poder para vivir una vida nueva (1 Pedro 2:24).

7. La justificación del hombre se produce por la fe en Cristo (Efesios 2:8, 9; Romanos 3:28). Las obras que se hacen con el fin deliberado de ganar la salvación no tienen poder ni mérito alguno.

8. La conversión y la santificación siguen a la justificación. La justificación, que entraña el derecho a la salvación, se logra por la fe. Pero el hombre necesita luego una

preparación para el cielo. Ésta comienza con el nuevo nacimiento (S. Juan 3:1-8), que determina un cambio en la conducta y actuación del hombre (Efesios 4:22-32). Luego se va operando un perfeccionamiento del carácter o santificación (1 Tesalonicenses 4:3).

9. La oración es el medio para comunicarse con Dios. Constituye el diálogo directo con la Divinidad, ante quien el cristiano puede abrir su corazón y expresarle en forma espontánea sus necesidades y deseos (S. Mateo 6:6-13; 7:7-12; Santiago 5:16).

10. La ley de Dios, o Decálogo, es norma eterna de justicia. Abarca los supremos principios de conducta y la suma del deber humano (Eclesiastés 12:13).

Es eterna e inmutable, porque es el reflejo del carácter de Dios (S. Mateo 5:17-19).

Es santa, justa y buena (Romanos 7:12).

En ella se basará el juicio (Santiago 2:10-12).

Señala el pecado y conduce a Jesús (Romanos 7:7; Santiago 1:22-25; Gálatas 3:24).

11. La observancia del verdadero día de reposo (el sábado) está claramente enseñada por un mandamiento de las Escrituras: "Acordarte has del día de reposo, para santificarlo: seis días trabajarás, y harás toda tu obra; mas el séptimo día será reposo para Jehová tu Dios; no hagas en él obra alguna, tú, ni tu hijo, ni tu hija, ni tu siervo, ni tu criada, ni tu bestia, ni tu extranjero que está dentro de tus puertas; porque en seis días hizo Jehová los cielos y la tierra, la mar y todas las cosas que en ellos hay, y reposó en

el séptimo día; por tanto Jehová bendijo el día de reposo y lo santificó" (Éxodo 20:8-11).

El sábado es el monumento recordativo de la creación de Dios (Éxodo 20:11).

Durante los 40 años de peregrinación del pueblo hebreo por el desierto, Dios realizaba un doble milagro para hacer posible la fiel observancia del sábado (Éxodo 16).

El ejemplo de Cristo al observar el sábado lo confirma como día sagrado (S. Juan 15:10; S. Lucas 4:16-21).

Fue observado por los santos apóstoles (Hechos 17:2; 18:1-4).

En todas las épocas hubo cristianos fieles que lo observaron, aunque fueran minoría.

En 1863 se formó una iglesia que resucitó esta perdida institución bíblica —la observancia del sábado como verdadero día de reposo—, que llegó a llamarse Iglesia Adventista del Séptimo Día.

La fidelidad a los mandamientos de Dios —inclusive el cuarto— será la característica del verdadero pueblo de Dios del último tiempo (Apocalipsis 14:12).

De allí la promesa que Dios hace de darles parte en su eterno reino a los que no pisoteen el sábado, sino que lo respeten y observen (Isaías 58:13, 14).

12. Dios establece el deber religioso de cuidar la salud. Todo lo que favorece la salud se conforma al plan de Dios (3 Juan 2).

Según la Biblia, el cuerpo es el templo de Dios (1 Corintios 3:16, 17; 6:19, 20).

Por lo tanto todo lo que perjudique la salud, mancilla ese templo e impide la presencia de Dios en él.

Por ello, la religión de la Biblia elimina de los hábitos del hijo de Dios el uso del alcohol, el tabaco, las drogas, y todo alimento malsano, e impone a la vez la moderación en las cosas buenas.

Debido a que las leyes de la salud son tan sagradas como la ley moral de Dios, el llevar una vida higiénica, pura y exenta de vicios es parte integrante de la auténtica religión de Cristo.

13. La segunda venida de Jesús es inminente. Es ésta una de las enseñanzas que más veces se menciona en las Escrituras.

Este suceso ha sido la esperanza milenaria de los patriarcas y profetas de la antigüedad (S. Judas 14; Job 19:23-26; Isaías 40:10; 25:8, 9; Daniel 2:44).

Es la gran esperanza de los apóstoles (Tito 2:12, 13; 2 Pedro 3:9-12; Apocalipsis 1:7).

El Señor Jesucristo prometió volver (S. Juan 14:1-3).

Una multitud de profecías anuncia la inminencia de este suceso (S. Mateo 24; S. Lucas 21; Daniel 2:44; 7:13, 14).

Ocurrirá en forma literal, visible y gloriosa (Hechos 1:10, 11; S. Mateo 24:24-27; Apocalipsis 1:7).

Necesitamos una preparación espiritual para ese fausto acontecimiento (S. Lucas 21:34-36).

14. El estado inconsciente de los muertos y la imposibilidad de que se comuniquen con los vivos, constituye un elemento importante en el armonioso conjunto de verdades bíblicas.

En ocasión de la muerte los seres humanos entran en un estado de completa inconsciencia (Eclesiastés

9:5, 6, 10; Job 14:10-14).

La resurrección de los justos se realiza en ocasión del regreso de Cristo (1 Tesalonicenses 4:16, 17).

La resurrección de los impíos ocurre mil años más tarde, para que sean juzgados y destruidos para siempre (Apocalipsis 20:5; Malaquías 4:1).

Los que hayan muerto en Jesús resucitarán con cuerpos incorruptibles e inmortales cuando vuelva Cristo, y los hijos de Dios fieles que estén vivos serán transformados sin ver la muerte (1 Corintios 15:51-55; 1 Tesalonicenses 4:15-17).

15. La Santa Cena o Eucaristía es un rito sagrado meramente conmemorativo. El pan y el vino son meros símbolos del cuerpo y la sangre de Cristo, y no sufren ninguna transformación pues Jesús fue sacrificado una sola vez (1 Pedro 3:18; Hebreos 9:28).

16. El bautismo por inmersión representa el nuevo nacimiento. Este santo rito de la iglesia, portal de entrada del cristiano en la confraternidad de los hermanos, representa la sepultura del hombre viejo en la tumba líquida y la resurrección del hombre nuevo para andar en nueva vida (Romanos 6:3-6).

Cristo fue bautizado por inmersión (S. Mateo 3:13-17). Así se practicó siempre esta ceremonia en la era apostólica; y así debe continuar efectuándose para no desvirtuar su hermoso simbolismo.